Galileia

Ronaldo Correia de Brito

Galileia

6ª reimpressão

Copyright © 2008 by Ronaldo Correia de Brito

Grafia atualizada segundo o Acordo Ortográfico da Língua Portuguesa de 1990, que entrou em vigor no Brasil em 2009.

Capa
Mariana Newlands

Imagem de capa
© Ron Watts / Corbis / LatinStock

Revisão
Marcelo Magalhães
Rodrigo Rosa de Azevedo
Diogo Henriques

cip-Brasil. Catalogação na fonte
Sindicato Nacional dos Editores de Livros, rj

B875g
   Brito, Ronaldo Correia de
      Galileia / Ronaldo Correia de Brito. – 1ª ed. – Rio de Janeiro : Alfaguara, 2008.

   isbn 978-85-60281-58-9

   1. Romance brasileiro. I. Título.

08-3413
                    cdd: 869.93
                    cdu: 821.134.3(81)-3

Todos os direitos desta edição reservados à
editora schwarcz s.a.
Praça Floriano, 19, sala 3001 — Cinelândia
20031-050 — Rio de Janeiro — rj
Telefone: (21) 3993-7510
www.companhiadasletras.com.br
www.blogdacompanhia.com.br
facebook.com/alfaguara.br
instagram.com/editora_alfaguara
twitter.com/alfaguara_br

Adonias

Soubemos notícias do avô Raimundo Caetano bem antes da travessia dos Inhamuns. A saúde dele agravou-se e a festa de aniversário poderá não acontecer.

Penso em voltar para o Recife, obedecendo a pressentimentos de desgraça, receios que me invadem em todas as reuniões da família. Davi e Ismael consultam-me com os olhos; temem que eu desista da viagem. Não dependem de mim para continuar, mas sou eu que intervenho nas disputas entre eles, desde quando tocávamos rebanhos de carneiros e feri o calcanhar, numa tarde como essa.

Tudo se assemelha ao passado, até os caminhos repetidos e o silêncio dos mortos, fantasmas que andaram como ando, ansioso e de humor deprimido.

Há algum tempo dirijo o carro sozinho. Os primos subiram na carroceria da camioneta, expondo-se ao sol e à poeira do final de tarde, num mês de dezembro com prenúncios de chuva. Tamanha beleza é pura armadilha. Preciso de lentes para abstrair o azul do céu, as nuvens de cinema épico.

O calor me enfada. Ele vem das pedras que afloram por todos os lados, como planta rasteira. Nada lembra mais o silêncio do que a pedra, matéria-prima do sertão que percorremos em alta velocidade.

De que maneira o primo Ismael arranjou dinheiro para comprar uma camioneta? É pergunta que ainda não fizemos. Deixamos para mais tarde os acertos de contas, afinal, nos juntamos depois de uma longa ausência. Durante muito tempo fomos apenas notícia.

Observo as carnaúbas, esguias como o corpo do primo Davi, e revejo a tarde dolorosa, ele fugindo nu, coberto apenas por uma camisa branca, o sexo à mostra, o sangue escorrendo entre as pernas. Sinto a náusea de sempre, o pavor de não compreender nada, mesmo depois de anos de psicanálise. Desejo voltar, acelero o carro, recuo na poltrona. Retorno mais uma vez ao passado, à tarde em que tudo aconteceu. Os olhos congelados nas imagens de uma câmera fixa, um trailer de quinze ou vinte minutos.

Vou sair no meio do filme. Não quero prosseguir.

* * *

Prossigo entre campos de futebol de areia, margens comuns em estradas do Brasil. Rapazes se atracam em cima de uma bola, índios de tacape arrasando o inimigo. Cidades pobres, iguais em tudo: nas igrejas, nas praças, num boteco aberto às moscas. No posto rodoviário, um guarda federal espera a oportunidade de arrancar dinheiro de um motorista infrator. Mulher em motocicleta carrega uma velha na garupa e tange três vacas magras. Dois mitos se desfazem diante dos meus olhos, num só instante: o vaqueiro macho, encourado, e o cavalo das histórias de heróis, quando se puxavam bois pelo rabo.

Imagino a casa dos meus avós derrubada por tratores, dando lugar a uma rodovia. O barulho forte das máquinas e as luzes dos faróis me deixam a impressão de que estou noutro planeta. Mas não estou. O sertão continua na minha frente, nos lados, atrás de mim. O asfalto fede. Já chorei por causa dessa ferida preta, cortando as terras. Agora, me distraio com os carros que passam.

Onde estão os caminhos abertos pelos antigos, os que elegeram essa terra para morar, trazendo rebanhos e levantando currais? Procuro o rio Jaguaribe e ele é apenas um leito de areia, lembrança adormecida de águas que se recolhem na seca, e transbordam renascidas na estação das chuvas.

Que fim levaram as árvores de porte? Só avisto o deserto cinza, sem um único verde. O sol, já no fim, aumenta os receios da noite. Reluto em voltar a Arneirós, temendo o encontro com minha família. Sua história escrita em três séculos de isolamento guardou-se em baús que não arejam nunca, por mais que debandemos em busca de outros mundos civilizados.

* * *

Olho os dois irmãos pelo espelho retrovisor. A pele morena de Ismael sobressai no fim de tarde, a cicatriz do rosto, as marcas que revelam sua origem de índio kanela. Davi, o mais moço, tem a pele alva e os cabelos louros, nenhuma semelhança com o irmão. Paro o carro e peço que desçam para a cabine. Começa a esfriar. Estiro as pernas e os braços, salto e grito. Os primos riem, me empurram brincando, gritam mais forte. Aparento normalidade, ajo como se estivesse feliz com o encontro e a viagem.

Ismael assume o volante. Escureceu completamente. As folhagens iluminadas pelos faróis lembram um campo nevado. Não acho graça na comparação. As chances de chegarmos antes das nove horas se tornam remotas, por conta da estrada ruim. Os jornais da televisão mostram o abandono todos os dias. Podemos ser assaltados na próxima curva, por bandidos armados de rifles, em camionetas importadas como a nossa. Substituíram as pastagens de gado dos sertões por plantios de maconha.

— Dá pra colocar um CD? — pergunta Davi.
— Depende da música. É pagode? — brinca Ismael.
— Seu gosto musical piorou bastante, meu irmão. Prefiro você com um maracá, fazendo pajelança.

Ismael fica calado. As referências a sua origem o irritam, embora seja impossível escondê-la. Não se envergonha do povo de Barra do Corda, por mais degradado que esteja, porém não suporta o desprezo da família cearense. Esquecem que também são mestiços de índios jucás.

Diz um palavrão e aperta o volante. Imagino a camioneta atirada no abismo da próxima curva e Ismael decapitado. Revejo a cena antiga, Davi correndo, a camisa branca manchada de sangue, o avô Raimundo Caetano numa janela, indiferente como se assistisse a um telejornal, tio Salomão no interior da casa, tio Natan atravessando a porta. Um cavalo dá voltas, sangrando esporeado. O cavaleiro é Elias, o outro irmão de Davi. Não avisto Ismael.

* * *

Grito como se acordasse de um pesadelo:
— Volta para o Recife! Não quero ir pra Galileia, não vou!
Ismael para a camioneta no meio da pista e me olha.
— Enlouqueceu, Adonias?
— Cansei dessas brigas de família e de bancar o juiz.
Davi procura um disco e passa para mim.
— Escutem umas sonatas de Scarlatti.
Eu apanho o disco e enfio no aparelho de CD. Sempre que ouço música, imagino-me tocando e sendo aplaudido ao final. A sugestão das sonatas é a de que chego a uma casa que possui um piano na sala. Displicente, levanto a tampa do instrumento e experimento a afinação. Alguém pergunta se sou pianista, respondo com falsa modéstia que sim. Sento-me e toco. No êxtase do som do carro, rasgamos os sertões em alta velocidade: maravilha o mundo lá fora, atenuado por um vidro fumê e pelo controle de temperatura. Esqueci para onde vamos. Sala de recitais. Na plateia, os que eu mais desejo impressionar.
Ruídos interferem nos sons do meu piano. Davi joga num brinquedo eletrônico, esquecido de que nos impôs as sonatas. Tomara que Ismael pare o carro e dê umas bofetadas nele.
Um solavanco na camioneta. Quase ficamos num buraco.
— As estradas não melhoraram desde que os antepassados trouxeram um piano do porto do Recife.

— Acho que estão piores, Ismael — comento meio grogue com o devaneio musical. Imagino o instrumento frágil, encomendado na França, em cima de um carro de bois.

— Será que veio mesmo um piano para esse fim de mundo?

— Meu pai garante que sim. Vamos atravessar o riacho onde os bois atolaram com a carga.

A música me deixa mais triste e infeliz. Relutei em vir para a festa. Nenhum dos meus irmãos aceitou fazer a viagem comigo, nem minha mãe, que há anos não encontra o pai e lhe devia essa obrigação de filha.

— Scarlatti escreveu as sonatas para uma aluna, a princesa Maria Bárbara, filha de d. João V. Ele não tinha a menor pretensão de fazer grande música, e fez. Elas são bem difíceis de executar.

— Você toca Scarlatti?

— No momento, estou sem treino, mas já toquei. São mais de quinhentas peças, todas obras-primas. Elas surgiram de uma necessidade bem prosaica: dar aulas. Mas essa necessidade não deixa de ser a motivação do artista criador.

É estranho como o sol desaparece rápido no sertão. Mal nos preparamos para a noite. Voam pássaros que desconheço, raposas atravessam a estrada, besouros batem no para-brisa do carro. Não identifico nenhum pio de ave acima da música. Meu pavor aumenta. Para onde vamos? O primo Ismael nos conduz. Sinto a garganta queimar, o corpo quente de febre. É uma obsessão.

* * *

Por que vim?

Quantas vezes me perguntei isso? Não consigo estabelecer vínculo com os dois primos, um afeto que ajude a suportar a viagem. Se Joana estivesse comigo, seria mais fácil controlar a angústia. Eu falaria dos meus receios, ou de coisas aparentemente sem significado, para refazer os laços com o mundo. Mas ela precisou ficar. Não posso arrancá-la do trabalho sempre que desejo. Não é fácil largar os pacientes, o hospital, o consultório. Ligo o telefone celular, mas está fora da área de cobertura. Puxo conversa.

— Vocês lembram os nomes das árvores do sertão?

— Eu, nenhum — responde Davi. — Sou absolutamente ignorante em botânica. Não distingo mangueira de mamoeiro.

— A floresta maranhense eu ainda conheço, apesar dos anos na Noruega.

A conversa precisa de um sopro para não se apagar. Davi, agora estirado no banco traseiro, voltou ao joguinho, e Ismael mantém o olhar fixo na estrada, atento às curvas e aos animais que atravessam a pista. Baixo o volume do som, insisto em trazê-los para junto de mim, como se eles fossem minha tábua de náufrago.

— Meu pai exigia que eu memorizasse as plantas da caatinga, por mais insignificantes que me parecessem. Eu recitava os nomes, mas era incapaz de reconhecer as árvores.

— E você ainda lembra de algum?

— Lembro de todos, Ismael.

Recitei os nomes com orgulho da memória, e depois recaí na tristeza. O meu conhecimento me parecia inútil. Nunca o usei em nada. Atravesso os sertões vislumbrando sombras negras, os restos vegetais dessa memória. Carreguei esses nomes como se fossem fantasmas, sentindo-me culpado se os esquecia. Eles eram para mim como os mourões dos currais arruinados, sem uso desde que se esvaziaram de vacas e touros; troncos solitários, teimando em ficar de pé no planalto sem pastagens, sem rebanhos, sem gente. Consternado, lembrei da família. Ela ainda se agarra à terra que já foi rica e assegurou poder, e hoje sobrevive como um criatório de gente que, mal nasce, vai embora.

Ismael exultou com a minha lembrança. Gritando, bateu as mãos no volante. A memória comum nos aproximava, refazia laços que eu imaginava desfeitos.

— Adonias, eu vou dizer os nomes das árvores que conheço. Sei detalhes das folhas, dos troncos e da floração de cada uma delas. Não pense que essa lembrança é inútil. Ela me serviu muito, no tempo que fiquei preso na Noruega. Quando não tinha nada o que fazer, eu imaginava a floresta, as plantinhas mais bestas. Escrevia os nomes num caderno, desenhava as flores e chorava arrependido do rumo que dei à minha vida. Só desse jeito eu aliviava a depressão.

Deixei que falasse.

— Qualquer hora dessas, conto minha história. Sei que falam horrores de mim. Até o avô Raimundo Caetano, que me adotou e me deu nome.

Pôs a mão direita sobre a minha coxa e olhou para mim. Os homens da família costumam tocar o interlocutor enquanto falam. O toque me provoca medo. Não mudaram os meus sentimentos pelo primo, desde que éramos pequenos. Sinto vontade de confiar nele, mas temo cair numa armadilha. Se acreditasse em metade do que os tios e primos falam dele, desceria do carro e continuaria a viagem a pé.

Davi pede que eu substitua o disco. Agora nos empurra um Rachmaninoff.

— Vocês falavam sobre o quê?

— Sobre árvores.

— Sou analfabeto no assunto, já disse.

— Então fale de animais.

— Falem vocês. Vou ouvir os prelúdios. A alma de Rachmaninoff era como esta noite, nela nunca penetrou um raio de sol. Mesmo assim, eu gosto.

O tom solene destoa da figura franzina, da gíria que o primo costuma falar. Dá para perceber que ele recita um texto decorado na escola.

Passa um carro em velocidade. A luz do farol ilumina o rosto de Ismael. Davi joga no brinquedo eletrônico e eu tento mais uma vez o celular. Continua fora de área. Nessa hora, estaria em casa jantando com Joana e as crianças, ou lendo no quarto delas. Toda noite cumprimos o ritual de botá-las para dormir. O mundo parece sem assombros, com luzes acesas, televisão ligada, computadores, telefones tocando.

— Baixe o som, Adonias, e vamos continuar a conversa.

* * *

Davi caiu no sono. Diminuo a altura da música, com cuidado para não despertá-lo.

Ismael acende um baseado, dá um trago longo, me olha cúmplice e, antes que eu manifeste desejo ou repulsa, estende-o para mim.

— Obrigado, não fumo.

— Esse fumo é de Barra do Corda. Já abastecemos o Brasil com a melhor maconha.

Ri alto, toca novamente a minha coxa, contraio-me. Percebo os sinais da euforia cannabis, e me disponho a um novo estágio de conversa. Melhor que o silêncio e a música. Estiro as pernas, alongo a coluna, faço exercícios para os olhos cansados. Proponho assumir o volante, pois não confio em bêbados e drogados dirigindo.

— Ficou com medo porque fumei? Calma, estou acostumado.

— Falo como médico. Não é seguro.

— Relaxe. Comigo nunca deu erro.

Davi espreguiça lá atrás.

— Que cheiro é esse? Tinha que ser Ismael! Vocês não respeitam nem a doença do avô?! E se ele tiver morrido? Vão chegar pro enterro assim?

— Eu não fumo, você sabe.

— Vá dormir, maninho, vá! Você é a melhor companhia do mundo quando dorme.

— E você é perfeito quando esquece que eu existo.

— Por favor, mudem o script de Abel e Caim.

— Não gosto de moralistas. Você vai me dizer, irmão, que tocou de cabeça seca, no barzinho de Nova Iorque? Aposto que usa coisa bem mais pesada. Eu, pelo menos, só queimo erva.

— Vá se danar, Ismael! Que papo de maconheiro! Fale como vinha falando antes. Prefiro quando é meloso. E fique sabendo que não toquei em barzinho. Passaram uma informação errada pra você.

— Ah, desculpe — ironizou Ismael. — Você tocou num pub! Adonias, lembra! Davi tocou num pub de Nova Iorque, para meia dúzia de pirados.

— Não vou aturar esse cara! Se ele é doido sem maconha, quando fuma se torna insuportável. Não profane Rachmaninoff! Por favor, Adonias, tire o meu disco.

Retirei o CD, coloquei-o na capa e entreguei-o a Davi, que voltara a estirar-se no banco, fechando os olhos. Reassumia o anjo de passeio pela terra. Não era sem motivo que todos o preferiam a Ismael. Como se não bastassem sua natureza quieta, os cachos louros e os olhos vivos num corpo magro, a aura de pianista virtuoso enchia a família de orgulho. Herdamos um gosto afetado pela música, um fetiche por pianistas, desde que o nosso mais remoto antepassado mandara buscar um piano na França.

* * *

Ficamos em silêncio, olhando casas de luzes apagadas, com antenas parabólicas nas cumeeiras dos telhados. Eram bem poucas no planalto extenso, multiplicando-se próximo às cidades. Desejei bater à porta de uma delas, dar boa-noite às pessoas, xeretar o programa a que assistiam. Não consigo imaginá-las atravessando a porta para os afazeres nos currais e roçados, depois de se intoxicarem de novelas. Despertados pela luz do farol, de vez em quando voam pássaros à nossa frente, voos rasantes, ligeiros.

— Você disse alguma coisa?

Ismael me pede conversa, mas eu só desejo olhar a noite.

— Estava me distraindo com os nomes dos pássaros daqui. Lembro de muitos, mas sou incapaz de reconhecer uma plumagem, um canto, um ninho. É outra memória inútil, guardada não sei para quê.

— Para quando for necessário.

— Nunca, então. Como médico, eu não preciso saber nomes de pássaros.

— Pois eu costumo lembrar de tudo. Já falei de minha prisão?

— Por favor, deixe para me contar outro dia.

Ismael não se ofende com a recusa. Apesar do temperamento violento, é generoso e gosta de aconselhar como um velho. Talvez seja o mais moralista da nova geração de primos. Olho seu rosto moreno, cheio de marcas, e reconheço a genética dos Inhamuns. Sinto fascínio e repulsa por esse mundo sertanejo. Acho que o traio, quando faço novas escolhas. Para o avô Raimundo Caetano somos um bando de fracos, fugimos em busca das cidades como as aves de arribação voam para a África.

— Imagino os antepassados chegando aqui. Homens, mulheres e crianças, no lombo de animais ou a pé. Havia pasto nos anos de inverno e corriam muitos bichos. Pense no medo que sentiam das flechas dos índios, de cobra, de onça. De noite, nosso povo deitava no chão e olhava as estrelas.

— Seu povo também são os kanela, de Barra do Corda.

Insisto na sua origem, mas ele finge que não escuta. Comove-se com o discurso. Fala das famílias aparentadas e compadres, que tomavam posse da terra, levantavam casas de taipa e passavam os dias no campo. As mulheres se escondiam dentro de casa. Os machos pastoravam as reses, construíam currais, perseguiam e matavam os índios. E também se matavam, sobretudo pela posse da terra, para criar mais gado.

— Os primeiros fazendeiros matavam os índios, derrubavam árvores e pagavam aos caçadores por cada mil periquitos ou papagaios que eles caçassem. Mas faziam isso para garantir os rebanhos e a lavoura. Eles não sabiam as consequências da destruição, como os fazendeiros de hoje. Agiam por ignorância.

— Esse é o discurso mais careta que já escutei, Ismael. Em nome dos parentes que o rejeitam, você se orgulha até do massacre dos índios. Esquece que é um deles?

— Os índios daqui foram incorporados.

— Foram dizimados. Inventaram a história de que os machos aceitaram o sacrifício porque os brancos casariam com as fêmeas e, assim, a raça seria preservada. Isso é mentira! Escondemos a barbárie da colonização, os massacres, e criamos atenuantes românticas. Propagamos a perfeita mistura de raças — falei em tom debochado, como um político discursando. Começava a perder a paciência com Ismael.

— Posso continuar?

— A trair suas origens?

— Você é mais sabido do que eu, primo. Fez doutorado na Inglaterra, mas eu aprendi como os antigos da família, sozinho, por esforço próprio. Li os livros que você nunca se interessou em ler.

— Ainda bem. Assim eu não falo que os antigos não tiveram responsabilidade pelas desgraças do nosso tempo. Erramos no passado, e pagamos por isso. Erramos no presente, pagamos agora e pagaremos no futuro. Seu oitavo avô Bernardo Duarte Pinheiro é tão culpado pela poluição do rio Jaguaribe quanto os usineiros de Mato Grosso são culpados pela poluição do Pantanal.

Percebi minha irritação e baixei o tom. Ismael desejava me impressionar. Ninguém o levava a sério, a não ser eu, um possível aliado.

— No começo, uma rês era mais importante do que um filho. Se uma vaca morria, fazia falta ao rebanho. Um menino, não. Numa noite como essa, o homem subia apressado na mulher, jogava a semente dentro dela, e pronto, estava providenciada a substituição. Nossa gente pensava assim, tenho certeza.

— Você sente saudade desse tempo?

— Sinto.

— É estranho, nem dos Inhamuns você é! Passou a maior parte da vida no Maranhão, e depois na Noruega.

Tive de ouvir as teorias de Ismael sobre a povoação dos sertões por uma raça mestiça, mais resistente ao clima, feito o gado pé-duro que os antigos traziam. Felizmente a conversa esfriou. Eu estava sem ânimo para mais discussões. Não me sinto seguro teorizando sobre história do Brasil. Sou incoerente, não tenho posições firmes.

Paramos na estrada para mijar. O motor do carro ficou ligado, os faróis acesos. Um cheiro bom de mato entrou pelo meu nariz, trazendo lembrança de nomes de plantas. Deletei a memória. Ismael e eu botamos o pau para fora. Davi afastou-se devagar, como se fosse embora, a camisa larga, costurada para outro corpo que não o dele, balançando ao vento Aracati. Lembro o nome dos ventos: Terral, Aracati, Nordeste, Graviúna. Ismael mija forte. Os cavalos mijam assim, baixam as pernas traseiras e disparam um jato potente, furando o chão, formando um riacho que escorre para longe. Sobe um cheiro sufocante. Deleto a memória, novamente. Davi caminha por cima do acostamento mal conservado. Os faróis perdem luz sobre ele, mas avisto quando baixa as calças, expondo a bunda branca. Repete-se diante dos meus olhos a cena antiga.

* * *

Viro-me e encontro os olhos de Ismael.
— Eu não tenho nada a ver com isso! Será que nunca vão acreditar?!
Entra na camioneta, bate a porta com força. Temo que dê arranque, passe por cima de mim e de Davi. Buzina, e é como o grito de um pássaro estranho à paisagem e ao silêncio. Davi não se move, é uma estátua de bunda descarnada sob a luz dos faróis. Retornamos ao ponto zero da largada. Os elos se desfazem, antes mesmo de se recomporem. Busco uma relação com o mundo, com a noite escura e a chuva fina começando.
Ismael acendeu um novo baseado. O cheiro da erva aumenta minha náusea. Desço os vidros do carro. O proscrito assumiu o comando da expedição, sem nos consultar se desejamos segui-lo. Despe a camisa e finjo não reparar no peito

musculoso bordado de tatuagens, nos braços igualmente tatuados. Viro o rosto para a estrada. Não seguro a curiosidade por muito tempo, volto os olhos, quero ver o restante da encenação, o stripper arrancando o cinto da calça, abrindo o zíper e deixando a cueca à mostra. Ele estende o cigarro para mim, sabe que não fumo, mas insiste, aliciante como todos os demônios. Davi não se moveu um centímetro do lugar onde estava. Só as roupas se agitam ao vento com chuva.

* * *

— Vamos!
— Calma, não estou com pressa de chegar a lugar nenhum!
— Seu irmão vai se molhar!
— Não tem o menor risco de que isso aconteça. Ele é etéreo, um androide. *I may be paranoid, but no android.*
Começou a gritar os versos do Radiohead, imitando a vozinha fina de Thom Yorke. Cumprindo o que eu imaginara, assumiu a regência da orquestra, pondo para tocar um CD da banda inglesa no volume mais alto. Ligou o carro, partiu e freou junto do irmão.
— Passageiro, estamos de partida para o inferno!
Davi entrou em silêncio, sentou-se, e quando olhei para trás ele jogava no brinquedo eletrônico, ausente do nosso mundo. Ismael cantarolava "Paranoid Android", batendo as mãos no volante. Quando repetia os versos *ambition makes you look pretty ugly, kicking squealing gucci little piggy*, olhava para mim como se eu fosse o pai Natan. Temi pela minha sanidade. Conhecia a letra de "Paranoid Android", desde o tempo em que estudei em Londres. Nela também se repetia o pânico, o vômito, o pânico, o vômito.
— É preciso muito tempo pra se gostar de um lugar. Eu nunca me acostumei à Noruega. Dizem que ela é melhor do que isso aqui. Eu não acho. O sertão a gente traz nos olhos, no sangue, nos cromossomos. É uma doença sem cura.

A maconha chegava ao ponto ótimo. As portas da percepção se abriam e o primo voltava a falar como um tio velho, dizendo frases intencionalmente profundas.

O ardil de lembrar nomes de árvores e pássaros não funciona. Talvez eu tome um ansiolítico. O celular entrou em área, posso falar com Joana, ouvir as vozes dos meninos, decompor esta cabine de camioneta em que viajo com estranhos que já foram meus amigos, primos de sangue. Sangue? Melhor não lembrar... Se tio Josafá viesse ao nosso lado, estaríamos rindo às gargalhadas. Também existe gente alegre e bem-humorada na família.

Quando eu for rei, você será o primeiro a ser colocado contra a parede, com suas opiniões totalmente inconsequentes, cantava Thom Yorke.

Era a terceira vez que escutávamos a mesma música, e Davi ainda não apresentara seus protestos à Suprema Corte. Meu estômago registrou a sequência dos ritmos: um começo dançante, lembrando as mornas da Ilha da Madeira; seguiam-se os metais pesados, depois um coro gótico, e a loucura veloz, cento e sessenta quilômetros por hora.

— Você quer nos matar?! Diminua essa velocidade!

Para minha surpresa, Davi começou a cantar alto, fazendo coro à banda e ao irmão. A chuva caiu forte.

A banda cantava em inglês, e eu, que nunca consegui raciocinar em outro idioma além do materno, traduzia os versos: *chuva cai, chuva cai, vamos, chuva, caia em mim; de uma altura bem alta, de uma altura bem alta... alta... Chova, chova, vamos, chova em mim, de uma altura bem alta, de uma altura bem alta... alta... Chova, chova, vamos, chova em mim!*

O celular tocou. Escutei a voz de Joana e o sinal fugiu. Odiei os dois loucos, que abafavam com seus gritos uma voz humana, uma esperança de sossego.

— Aonde vamos? — gritei acima de todos os ruídos.

Ninguém me respondeu naquele carro. As vozes pareciam vindas de uma barca, dos tenebrosos autos medievais:

— Ao inferno! Ao inferno!

Ao inferno.

Francisco de Castro

O avô Raimundo Caetano mora na fazenda Galileia, distante quinze quilômetros de Arneirós. Na cidade, ele possui casa para os domingos, as festas da igreja, o Natal e o Ano-Novo. Durante toda a vida praticou um catolicismo pagão, misturando o louvor aos santos com crendices e superstições. Sempre rezou um terço ao acordar, mas também oferecia fumo à Caipora, quando caçava. Protegia a casa dos maus-olhados atirando sal grosso nos seus quatro cantos. Os umbigos dos nove filhos legítimos foram enterrados na porteira do curral, para que nenhum abandonasse a terra, e todos se tornassem fazendeiros criadores de gado. O feitiço pegou em apenas três deles, Natan, Salomão e Josafá, que fixaram moradia na fazenda. Natan costuma afastar-se em viagens de comércio, mas sempre retorna à Galileia.

    Os mascates libaneses chegados ao Ceará não tinham parentesco de sangue com os Rego Castro, de Raimundo Caetano. Famosos por cruzarem os sertões de maca às costas, vendendo quinquilharias inimagináveis, esses comerciantes de ascendência fenícia não se estabeleceram no planalto dos Inhamuns. Os antigos patriarcas da família afirmavam que a nossa ânsia por terras e o desejo contrário de abandonar tudo e correr mundo afora vinham do sangue que herdamos de cristãos-novos. Tio Salomão insiste que somos um povo inacabado, em permanente mobilidade, adaptando-se aos lugares distantes, às culturas exóticas. A errância e o nomadismo, o gosto pelo comércio e as viagens alimentam o nosso imaginário, o sentimento de que pertencemos a todos os recantos e a nenhum. As terras do planalto foram durante muito tempo a rota de ciganos e comerciantes, que seguiam as veias do rio Jaguaribe.

Por elas, também vieram os pastores com os seus rebanhos, apagando os rastros dos nômades, fincando mourões e levantando telhados.

De acordo com o nosso tio, existem duas categorias de homens, os viajantes e os sedentários. Os primeiros percorrem terras distantes e relatam as histórias de outras gentes, quando voltam ao lugar de origem. Os segundos, artesãos, pastores e agricultores, ouvem as histórias dos viajantes e, enquanto trabalham, pensam nelas. De noite, sonham com as terras que nunca conhecerão, porque não se encorajam a transpor os limites do mundo onde vivem. Com o passar do tempo, adaptam os nomes desconhecidos ao vocabulário local, os princípios alheios aos seus, e de palavra em palavra recriam as narrativas. Surgem fábulas, novelas e romances conforme os sonhos e as necessidades de quem narra. Tio Salomão garante que dessa maneira se formaram as lendas da família Rego Castro, sobretudo as que se referem ao nosso passado ibérico e holandês.

Muitos judeus sefarditas que fugiram da Ibéria para a Holanda mudaram-se para Pernambuco na comitiva do conde Maurício de Nassau, e ali viveram a salvo de perseguições, com rua de comércio e sinagoga, até serem expulsos com os flamengos. A lei foi implacável com os judeus velhos e aqueles que, depois de convertidos ao cristianismo, judaizaram. Em poucos meses, a florescente comunidade judaica se desfez. Porém, nos interiores cearenses, contava-se como verdade inabalável que muitos cristãos-novos fugiram a essa expulsão, embrenhando-se sertão adentro, dando origem a dezenas de famílias com os sobrenomes Pinheiro, Nunes, Castro, Álvares, Mendes e Fonseca, embora afirmem que no mundo ibérico não se identificam judeus pelo sobrenome.

Os historiadores recusam essa diáspora pernambucana, mas na família Rego Castro ganhou fama um antepassado no décimo grau, de quem se conhecia não apenas a cidade de origem em Portugal, como os detalhes de suas andanças e sofrimentos. Tratava-se de Francisco Álvares de Castro, nascido em Bragança, cidade famosa como um dos principais centros do criptojudaísmo português, até começarem as perseguições e julgamentos nos autos de fé do Sagrado Tribunal da Inquisição. Habituado a usar uma máscara diante do mundo, a simular ser um cristão na rua e em casa viver da maneira como o seu povo transmitira, Francisco de Castro e a família se expunham às denúncias comuns naquele tempo. O braço da Igreja Católica abarcava o planeta e possuía olhos nas cabeças dos cinco dedos de cada mão.

 O imaginário fértil dos sertanejos reinventou a história desse homem, semelhante a milhares de outros judeus que chegaram à Península Ibérica por volta do século onze. Para tio Salomão, o judaísmo era uma forma de ver o mundo, de se instruir sobre ele, muito mais do que o culto a uma religião. Um conjunto de tradições que resistiu ao tempo. Essas teorias, que mais tarde descobri serem de Yosef Kaplan, aguçavam a curiosidade sobre o antepassado que aos dezesseis anos residia na Espanha, na cidade de Málaga, para onde fugira em busca de clandestinidade. De Málaga seguiu para Osuna, e depois Alcalá, onde estudou artes, filosofia, teologia e medicina. Escapou às investigações sobre sua pureza racial, num exame médico em que se constatou que não era circuncidado. O gesto simbólico, e também real, de um cristão-novo aderir ao judaísmo era submeter-se à circuncisão, por mais adiantada que fosse a idade do aspirante. Tio Josafá garantia que vinha dessa herança judaica a importância que dávamos ao costume de quebrar o cabresto, soltar o freio e o prepúcio da glande, deixando-a livre, o que fazíamos sozinhos nos masturbando, ou nas brincadeiras com as cabras. Nenhum sacerdote nos ajudava na iniciação à vida adulta. Essas conjecturas, sem fundamento, são típicas de nossa formação apressada. Levantamos hipóteses sobre tudo, teorizamos, fazemos história e sociologia empíricas, confundimos fabulação com ciência.

 Francisco Álvares de Castro assistiu à peste de Málaga, em que morreram milhares de pessoas. Foi aprisionado em Sevilha pela Inquisição, e logo depois liberto. Transformou-se num judeu errante, tentou a vida em Cádiz, novamente em Sevilha, e por último em Valência, onde morreram as esperanças de livrar-se do medo e da dissimulação que marcaram sua existência. Mas os sofrimentos só diminuíram quando ele deixou os lugares que supunha amar, uma pátria imaginada em terras de Espanha e Portugal. Fugiu para a França, e de lá alcançou a Holanda e a liberdade.

Tio Salomão descobriu nas leituras e pesquisas que a narrativa fantasiosa do nosso antepassado nada mais era do que a história real de um ilustre personagem da comunidade judaica de Amsterdã: Baltazar Álvares de Castro, que mudou o nome para Isaac Oróbio de Castro após chegar à Holanda e judaizar. Enquanto vagou sem destino, ele construiu uma fortaleza de sabedoria maior que as lições decoradas nas universidades, a convicção de que era um homem livre no pensamento e na fé. Reconheceu que as quatro gerações que o separavam das suas origens não foram o bastante para fazê-lo diferente do que era, um judeu.

Havia pontos em comum entre as duas histórias, mas tio Salomão garantia ser impossível tratar-se da mesma pessoa. A vida de Isaac Oróbio foi cheia de lutas e proezas literárias, e ele retornou à sua religião quando encontrou um meio favorável para isso. Francisco Álvares de Castro permaneceu cristão-novo, e acrescentou à sua cultura judaica as misturas do Novo Mundo, de indígenas, africanos e quantos povos se embrenharam por sertões e agrestes.

O golpe de misericórdia nessa fantasia foi dado por tio Salomão com base em documentos. Isaac Oróbio de Castro nunca veio para o Brasil. Foi sepultado no cemitério da Congregação Judaico-Portuguesa Talmud Torah, em Ouderkerk, na Holanda, no ano de 1687. Portanto, Francisco e Isaac eram pessoas bem distintas. Nosso tio se perguntava de que maneira e com que intenção as duas histórias foram cruzadas. Todos sabíamos a resposta. Inconformados com a crônica medíocre da nossa trajetória para o Brasil, sem heróis nem bravatas no além-mar, nós romanceamos as vidas comuns da família, inventamos personagens e remendamos neles pedaços de narrativas, dramas e farsas da tradição oral e dos livros clássicos. Os parentes letrados e genealogistas muito contribuíram com as suas leituras. Sempre fomos uma família de mentirosos e fabuladores. Como os arqueólogos que emprestam a imaginação para recompor uma ânfora etrusca a partir de cinco cacos de cerâmica, nos apropriamos dos bens de cultura ao nosso alcance, enxertamos aventuras na vida insignificante dos antepassados, na louca esperança de nos engrandecermos. Que mal havia nisso?

— A história não se faz dessa maneira — insistia tio Salomão.

— Mas não somos historiadores, e sim fabuladores — rebatíamos. — A guerra de Troia teve menos importância para os gregos do que para Homero, um poeta. Não despreze os que enalteceram nosso avô Francisco de Castro com a sabedoria de Isaac Oróbio. Pense em quanto lucramos com essa mentira. Onde não existe esplendor, inventa-se.

Alguns achados misteriosos excitaram os genealogistas da família. Nas ruínas da casa do monte Alverne, encontrou-se uma escultura talhada em um bloco de calcário, que ficou conhecida como a Pedra de Jacó. Uma figura humana masculina, com a cabeça coroada de folhas e frutos, olhava para baixo, com a expressão carregada de dor. Aos pés, a frase escrita em holandês — *Iacob Bem Ick Genaemt* —, que foi traduzida por *eu me chamo Tiago*. De onde veio, quem a trouxera, com que fim? A notícia correu os Inhamuns, foi cantada pelos poetas repentistas, causou controvérsias. Durante meses, a Pedra de Jacó recebeu visitações, até transformar-se em encosto de porta e depois ser esquecida. Na mesma casa arruinada também se encontraram restos de estruturas de cantaria em calcário. Fragmentos exibiam figuras antropomorfas e inscrições. Numa delas, em caracteres bem desenhados, estava escrito: *niet sonder Got, nada além de Deus*. Interpretou-se isso como um sinal dos céus para os filhos desgarrados do redil do Senhor, naquele mundo selvagem em que se cuidava apenas da salvação de bois, ovelhas e cabras. O destino dessas esculturas não foi melhor que o da Pedra de Jacó e de todos os monumentos sertanejos: o abandono. Para os Rego

Castro, os achados arqueológicos confirmavam um passado sefardita e holandês, estabeleciam vínculos entre os pastores esquecidos e o restante do mundo civilizado.

Mas tio Salomão insistia numa versão menos honrosa, a de que os cristãos-novos chegados aos Inhamuns provinham do Norte português, eram homens solteiros, sem vínculos com as origens, que buscavam enriquecer no comércio mascate, e que deixaram uma prole numerosa de bastardos, nascidos de transas ligeiras com as índias jucás. A genética nunca foi parâmetro para definir culturalmente um judeu, sendo considerados como tal apenas os que possuem mãe judia e praticam a religião judaica. Os descendentes dos regatões sefarditas se misturaram noutros cruzamentos, quase nada restando dos traços de uma cultura hebraica. O isolamento dos sertões deixava as pessoas livres para não acreditar em nada, apenas na luta pela sobrevivência.

* * *

A farsa nos mantém unidos. A hipótese de uma ascendência judaica não possui grande importância. Nem foi por causa dela que Raimundo Caetano escolheu os nomes de todos os filhos e netos nas páginas de uma velha História Sagrada, composta de textos seletos do Antigo e do Novo Testamento; leitura obrigatória, mal começávamos a soletrar as primeiras letras. A escolha se deu por causa de uma humilhação sofrida no momento do seu batismo.

Envergando um timão de seda bordada, touca de renda na cabeça, mais parecendo uma menina do que um machinho, meu avô receberia o nome de Abraão, e seria ungido com o óleo batismal, na igreja matriz de Arneirós, conforme o ritual iniciado por São João Batista no rio Jordão.

O padre molharia a cabeça do recém-nascido, o que não chegou a acontecer, deixando-o avesso aos banhos pelo resto da vida. Nos anos pela frente, Raimundo especulou os motivos da recusa ao nome escolhido pelo pai numa lista de mais de duzentos nomes. Nela constavam preciosidades como Ariovaldo, Eustáquio, Lindolfo, Atanásio e até um Teopisto.

O que lhe pareceu mais plausível para a humilhante recusa — insistia que fora uma humilhação, embora tivesse apenas sete dias de nascido, e nada pudesse lembrar — foi o antissemitismo do padre estrangeiro.

— Abraão não ser nome cristão! Com este nome não batizo.

— Mas padre... — tentou rebater o bisavô, que não distinguia judeu de cristão, homem acostumado à terra e às armas, preocupado apenas em assegurar o que os seus antepassados conquistaram.

— Abraão não presta — proferia o padre aos gritos.

Meus bisavós haviam escolhido o nome de um patriarca para o filho, desejando que ele povoasse a Galileia, já que eles mesmos só conseguiram um herdeiro, depois de anos de tentativas infrutíferas e gastos em promessas com os santos. Mal sabiam que Abraão não fora nenhum exemplo de reprodutor, deixando apenas dois filhos, Isaac e Ismael, um eleito e outro proscrito.

— Não batizo! — gritava o padre no português atrapalhado, aumentando o desespero da família. Temiam que a criança morresse pagã e precisasse viver o restante de sua eternidade no limbo, um lugar escuro e insalubre, para onde seguiam as almas das crianças sem batismo.

Às pressas, tiveram a brilhante ideia de misturar os dois primeiros nomes dos pais deles, dando origem a Raimundo Caetano. Mesmo beneficiado com a troca, nosso avô cismou em batizar os filhos e netos com nomes da tradição judaica. Aprendeu a ler sozinho numa História Sagrada, tornando-se um leitor compulsivo das Escrituras, um fundamentalista da palavra de Iahweh, num tempo em que as igrejas evangélicas eram minoria, e ele próprio se declarava um católico apostólico romano.

Davi

As moscas zanzam fora de hora, despertadas pela luz. Não existe barulho mais estranho que o zumbido de moscas durante a noite. Parecem insones, sem saber o que fazem. Nem dá gosto matá-las.

O boteco não é padaria, bar ou restaurante. E é tudo isso. Um ventilador de teto gira as hastes sujas, espalhando poeira. Ainda bem que não sofremos de alergia. Nenhum de nós três, sentados em cadeiras desconfortáveis em volta da mesinha de ferro com toalha de plástico, fornecidas por uma cervejaria. Vou pedir para desligar o ventilador. Desisto. Os outros fregueses devem gostar do barulho de catraca, do vento morno circulando, mais quente agora que o tempo fechou, ameaçando chuva.

Ismael pede uma cerveja, pergunta o que tem para comer. O dono informa que o único cardápio é bode assado. Há dois dias está sem cozinheira. Sua esposa precisou viajar para Fortaleza, ficando apenas ele e o filho de onze anos. Não escuto o resto da conversa. Davi retomou o brinquedo enervante, e eu sinto ímpetos de arrancá-lo das suas mãos, pisando-o até que não sobre uma única peça inteira. Olho as pessoas, todas me parecem acostumadas ao chão de cimento esburacado, às paredes cobertas de calendários antigos. Três homens jogam dominó. De vez em quando discutem, como se fossem brigar. Ismael propõe dividirmos o prato. Por mim, tudo bem. Tenho certeza de que não conseguirei engolir um naco de carne. A garganta arde e sinto queimar o estômago. Davi deseja apenas uma coca-cola. Enfia o brinquedo no bolso, abre o computador e corre os dedos finos por sobre o teclado.

— Já se acessa a internet na fazenda?

— Claro que não — responde Ismael, mesmo sem saber de certeza, porque há anos não mora na Galileia. — Aquilo lá não é Miami. Tem energia elétrica e já está muito bom. Você pode assistir ao Big Brother, ou ir pra cidade, se quiser navegar.

— Não gosto de ficar sem internet. Agora sou eu que quero voltar.

A chegada de cinco músicos põe fim à conversa. Só agora percebo microfones e caixas de som, arrumados num canto da sala. O ventilador continua a rodar, espalhando mais ácaros pelo ambiente.

— Que joia, teremos concerto! — Davi fala e se retira para um terraço na frente, onde não existem cadeiras, apenas um banco e dois totós. Senta, acomodando o computador sobre as pernas.

Os músicos arrumam os instrumentos: teclado, guitarra, baixo, sanfona e bateria. Um rapaz que bebia no balcão se encaminha para o grupo. É o vocalista. Usa três argolas na orelha esquerda, um piercing no nariz e roupa preta brilhosa. Passa a mão nos cabelos pintados de louro, endurecidos pelo excesso de gel fixador. Repete o gesto inúmeras vezes, mas nem um único fio de cabelo se move. Temo que a minha ansiedade se agrave. Resisto heroicamente a tomar mais um tranquilizante. Capitulo e enfio o comprimido goela adentro. Melhor prevenir, não sei o que me espera. Olho à minha volta como um espectador inerte, as pernas paralíticas. O dono da bodega reconhece que somos de fora, outro tipo de gente. Retorna à nossa mesa, desculpa-se pelo transtorno, é apenas o ensaio de uma banda de forró. Se nos incomodar, os rapazes tocarão mais tarde.

Ismael olha o irmão com desprezo. Davi largou o computador em cima do banco, e joga totó com o filho do comerciante. Vez por outra dá risadas alegres. O menino também está feliz com o parceiro caído do céu. Trago o computador para nossa mesa, temendo que o roubem. O bodegueiro percebe minha desconfiança. Terá se ofendido? Acho que fui injusto. Não sei, os tempos mudaram. Mudaram? Antigamente, falo como um velho ranzinza, ninguém o carregaria de lá. Antigamente não existiam computadores. No máximo, um bando de cangaceiros aparecia e estuprava as mulheres da casa, roubava, matava e dançava até o dia amanhecer. O homem não desgruda os olhos de mim enquanto penso nessas coisas, parece dizer-me que o laptop nada significa para ele, é um traste sem função no seu mundo, uma máquina inútil.

 O guitarrista toca uns acordes, em seguida vira-se para o rapaz da bateria, que é bem gordo e suarento. O baixista usa óculos escuros e, mesmo quando não toca, marca ritmo com o pé esquerdo. O barulho do ventilador lembra um baixo contínuo de música barroca. "Som, som, som! O.k.!" O vocalista testa os microfones. "Som, som, som! Agora!" Ismael pede a segunda cerveja, mistura explosiva, álcool e maconha. "Som, som, som! Testando!" O acordeom toca nas minhas entranhas. "Som, som, som! Testando outra vez!" Peço uma água mineral com gás. Olho para fora. Davi e o menino não estão mais jogando, nem sentados no terraço. Para onde foram? O céu prepara-se para chover, bem no jeito do sertão, o tempo muda ligeiro, carregando-se de nuvens pesadas. Troveja, relampeja, verbos impessoais, não podem ser conjugados com sujeito. O cantor também troveja a voz grossa, fora de sintonia com o corpo franzino. Para onde foi Davi? E o menino que estava com ele? Os rostos dos músicos não expressam o temporal que se aproxima. As moscas acordadas, pobrezinhas, por causa das luzes acesas. Será que elas distinguem o dia da noite? Minha vista se embaralha. Talvez seja o cansaço ou o efeito do comprimido. Um relâmpago, e em seguida um trovão. Saio para o terraço, grito o nome de Davi. Ninguém responde. A estrada apagou-se no escuro, perdi a direção de Arneirós, não sei se tomaremos a direita ou a esquerda. Avisto o curral vazio do lado da casa, velho, sem vacas nem bois, sem cheiro de esterco, as paredes desmoronando, as traves partidas. — Davi! — grito. A angústia retorna com furor, um touro arrombando a porteira. Davi e o menino de onze anos. Vou gritar! Um relâmpago, um trovão, falta luz elétrica por alguns segundos. A banda toca músicas desconhecidas, talvez compostas por eles mesmos. Não ligam para o tempo. O acordeonista ergue a cabeça para trás, repete o movimento tantas vezes que esgota a beleza do gesto. Possui um pescoço longo, o pomo de adão saliente. Talvez fale com a voz rouca. Por que imagino essas coisas? Ismael bebe a terceira cerveja. Não quero ouvir a história de sua prisão na Noruega. Prefiro que me relate o óbvio, o que posso ler na *Revista Geográfica Universal* ou no Google. A capital da Noruega é Oslo. Noruega significa caminho para o norte. Dez a quinze por cento da população norueguesa deixaram o país nos séculos dezenove e vinte, principalmente para os Estados Unidos. A taxa de natalidade entre a população de origem norueguesa baixou, e cresceu trinta e cinco a quarenta por cento entre a população de imigrantes. Ismael conclui que apenas os asiáticos, africanos e sul-americanos gostam de trepar. Esfrega os genitais e as coxas, enquanto fala. Relampeja e a luz se vai em outros segundos. Os músicos param de tocar. As quedas de corrente danificam os instrumentos elétricos. Sinto cheiro de carne assada, vindo da cozinha. O sanfoneiro abre e fecha o fole do acordeom. Ligaram mais dois ventiladores por conta do calor. As moscas acordaram de vez.

Os pensamentos continuam zunindo. Sinto saudades de casa, da rotina no hospital. Conheço as rivalidades na família e imagino tragédias. Davi morou na França, estudando piano, e depois viajou para Nova Iorque, onde tocou durante uma semana. Num teatro, num pub, ou num boteco como este? Para as moscas ouvirem? Quantas vezes falamos da carreira de Davi, durante a nossa viagem? O que significam para mim as pequenas glórias familiares? Quero saber detalhes desses concertos. Perguntarei a Davi, assim que estivermos sozinhos. Evito falar na presença de Ismael. Alguns membros da família comemoraram o recital fora do Brasil, com o doce ufanismo de colonizados. Para eles, significa bem mais se apresentar num teatro decadente de Nova Iorque do que ser aplaudido na Sala São Paulo.

O dono do restaurante nos serve a carne de bode. Imagina que somos fregueses importantes.

— Desculpem, foi o melhor que pôde sair!

Fica ao nosso lado, de pé, como sentinela. Pergunta pelo outro, o lourinho magro. Emenda o pedido de desculpas numa história que ouço aos pedaços, desatento porque ligaram a televisão num volume altíssimo. Vez em quando os trovões abafam a sua voz e mal consigo escutá-lo. A banda de forró ameaça tocar novamente, guitarra, bateria e baixo experimentam sons desarmônicos, num mundo habituado ao silêncio das pedras. O relato do homem lembra os livros da biblioteca do avô Caetano, todos parcialmente comidos pelas traças e cupins. Difícil encontrar algum que não tivesse buracos no miolo das folhas, em que não faltassem páginas inteiras, obrigando-me a imaginar o que não conseguia ler, a tornar-me parceiro de autores famosos. Nunca soube de que maneira o náufrago Gulliver escapou dos gigantes, no país de Brobdingnag; nem como terminou a peleja entre o Capitão Ahab e a baleia branca Moby Dick; nem se o endiabrado Nils Holgersson finalmente chegou em casa, depois de sobrevoar a Suécia nas costas de uma gansa. Também fiquei sem saber se a prostituta Bola de Sebo entregou-se ao general alemão, no conto de Maupassant. No melhor das histórias, os insetos vorazes comiam páginas inteiras, provocando um hiato na minha formação intelectual. Meu saber fragmentou-se como um vaso de argila sumério. O justo seria tornar-me um arqueólogo à procura de cacos de ânfora, tentando recompô-la como a memória da família de que me dizem herdeiro e guardião. Mas recuei do projeto, temeroso dos riscos. Respondo às propostas de tornar-me cronista como o escrivão Bartleby de Melville, repetindo sempre: "Acho melhor não."

De que falava o homem do bar, enquanto a minha escuta divagava como a de um psicanalista? Os trovões e os sons da guitarra comiam o miolo das frases, do mesmo jeito que as traças e cupins devoravam páginas dos livros.

— por isso ela viajou a Fortaleza, nossa capital.

      É, o mais velho me ajudava

                              errado

dezesseis anos

foi-se o tempo.

Acabou com todos nós.

O Conselho Tutelar decidiu.

Ia num ônibus da Prefeitura. Eu não possuo carro. De cavalo essa juventude não aceita andar. A cidade fica para trás, o senhor passou nela, há quase duas léguas. É longe e incômodo sair toda noite de casa. Tem de estudar, é o jeito. Não existe mais roça, nem eles querem. Não existe mais gado, nem eles querem. Tem a cidade sem emprego.

eu e minha mulher pensando que ele estava na escola

Joel, o primo dele, chamou a atenção da gente. Pense num rapaz bom e estudioso, aquele. Da idade do nosso filho.

o senhor correu pra guardar seu aparelho

não serve pra gente, nem se servisse

por mim, podia ficar dez anos em cima do banco

Mas ele quis um celular! Desejou não sei pra quê. Não tem nenhuma utilidade aqui. Nem pegar pega. Pode ligar o seu agora e testar. Pega? Pega não! Ele viu na televisão e achou bonito. Agora, os rapazes acham feio vestir roupa de couro, botar um chapéu na cabeça. Estão no direito deles. Mudaram os tempos. Pra que serve vestir roupa de couro, botar chapéu na cabeça, se não tem boi pra correr atrás? Serve apenas pra dançar xaxado, folclore, o senhor conhece. Roupa de couro perdeu o valor porque não tem utilidade. Telefone celular tem utilidade para o senhor, pro seu trabalho. Para mim não tem, porque aqui não pega. O rapazinho meu filho roubou o aparelho por vaidade, por luxo. E foi preso porque arrombou a loja. Desceu pelo telhado, quebrou o gesso e levou o celular mais caro. Descobriram fácil que foi ele. É um besta, coitado, nem sabe direito o que fez. Toda noite, quando ia pra escola, na cidade que o senhor passou, ele ficava imitando que telefonava, pra se mostrar aos colegas. Foi preso. O Conselho Tutelar abrandou a pena dele. Tinha que prestar serviço à comunidade, todos os dias trabalhar num abrigo de velhos. Limpava o chão, os banheiros. Ele sentia nojo do trabalho, não gostava dos velhos. Não cumpriu a pena, foi chamado à atenção. Não cumpriu, foi chamado novamente. Não cumpriu, foi preso.

Consegui alguns minutos de escuta, abstraindo os ruídos. As traças e cupins pouparam longos trechos da história narrada pelo pai. Mas o som da guitarra volta, perco outra vez a sequência da narrativa. Os livros da biblioteca do avô Raimundo Caetano condenaram-me à divagação. Ouço, distraio-me, os cupins roem papéis e neurônios, uma página se estraga, uma lembrança se oculta, leio mais, as traças roem, roem, roem, salto buracos com nada escrito, invento pedaços de romances, escuto.

A ganância corrompeu o menino. Desejou o que não necessitava, pecou e está pagando.

— A ganância ou a ignorância? — perguntou ao pai.
— As duas coisas.
— Não será a pobreza que causa tudo isso? — insisti numa voz baixa, que o velho nem ouviu.

Ismael escutava transtornado, como se narrassem a sua própria história. Temi que se levantasse de repente, agarrasse o pobre homem pelo braço e propusesse retornarmos a Fortaleza para trazer o rapaz de volta para casa. Mas o pai nem percebeu essa chance que o moço à sua frente oferecia, aquecido por várias cervejas e dois cigarros de maconha.

— Meu filho quase se mata por nada, por esse trastezinho que até bem pouco tempo atrás nem existia pra gente. Mas agora existe, e ele desejou um. É o Diabo quem inventa essas coisas, só pode ser. E também é o Diabo quem tenta a gente pra querer o que não precisa. Ele aparece na televisão, ludibriando, prometendo maravilhas, mandando comprar, fazer qualquer sacrifício para possuir essas porcarias. A cada hora inventam uma coisa diferente. Nosso menino esqueceu a honra. Esqueceu tudo. Roubou o celular e está preso. Quando viu que não aguentava a cadeia — chamam com outro nome a prisão pra menores, mas é pior que cadeia —, quando viu que não aguentava a cadeia, tentou se enforcar. Passou uma corda no pescoço e não morreu porque os guardas chegaram a tempo. Da segunda vez, tomou água sanitária e foi internado num hospital. A mãe está com ele. Certas horas eu esqueço que é nosso filho, de tanto desgosto. Tudo por causa de uma coisinha dessas, que fala com quem a gente nem vê. Deve ser o Diabo quem chia no ouvido das pessoas. Só pode ser ele. E meu filho caiu na tentação. Acho bom que ele morra, que nem volte mais pra casa. Fique por lá mesmo, no meio dos que não prestam.

Um relâmpago dos mais fortes clareou o mundo, no momento em que Davi atravessou a porta de entrada. Em seguida, o menino que brincava com ele passou correndo. Segurava o jogo eletrônico de Davi tentando ocultá-lo. O vermelho metálico cintilou na claridade. Davi se molhara com os primeiros pingos da chuva. Achei-o pálido.

    Cumprimentou-nos com um sorriso, estendeu a mão ao pai do menino, sentou conosco, apanhou o computador e abriu-o. Ismael não se conteve.

— Por onde você andava?

— Fui caminhar, gosto da noite. Lá fora está mais fresco.

— E por que demorou tanto?

— Você agora controla meu tempo?

    Além da irritação, notei um leve tremor na sua voz, que atribuí à carreira fugindo da chuva. Procurei o menino na sala, mas ele desaparecera. Já era tarde e a chuva caía com gosto, fazendo barulho no telhado. Os músicos preparavam-se para outra rodada de ensaio. Assumiam pose, imitando não sei que banda famosa.

    Davi quis ir embora. Depois da terceira cerveja Ismael pediu a conta. Achou-a tão pequena que pagou duas vezes o valor. Desejou boa sorte ao bodegueiro e ao seu filho preso. Ofereceu ajuda, mas o homem recusou-a, agradecendo. Davi esperava junto à camioneta, de costas para nós.

* * *

    Na estrada, multiplicaram-se as borboletas. Os mosquitos, em suicídio coletivo, chocam-se contra os faróis do carro. O céu limpou de novo, as estrelas se tornaram visíveis, apesar da lua minguante clara. Sinto um cheiro bom de terra molhada. Estamos quietos. Davi, silencioso, Ismael, olhando o caminho, eu, com a boca menos amarga. Se congelassem as imagens, ficaria preso nelas sem me queixar, num esboço de contentamento. Os primos me parecem amáveis, e eu menos rude. Temo que a calmaria se desfaça, que atirem uma pedra no carro ou nos assaltem.

    Ismael gira a camioneta para a esquerda, com brusquidão.

Nenhuma pedra foi arremessada, nenhum assaltante nos abordou. Tomamos um caminho de barro. Deixo o primo atravessar o leito seco do Jaguaribe, o rio adormecido. Davi não pergunta nada.

No meu ouvido ressoa a voz de um antigo profeta, voz solene como a de todos os que nascemos por aqui. Vá, Ismael, nos guie! Santificado seja o teu nome. Um anjo do Senhor virá em teu socorro. O filho da escrava não será desamparado, uma fonte jorrará no deserto. Do proscrito também nascerá uma grande nação.

O caminho se estreita entre árvores de porte, talvez ipês, oiticicas, jatobás, ingazeiros, baraúnas. Sombras escuras no caminho por onde Ismael nos conduz. Avistamos um açude a nossa frente. O fim de toda caminhada pelo deserto é a água. Uma barragem no meio da travessia, com suas águas represadas. Contemplamos o milagre, deixamos que o tempo escorra quanto quiser. Problema do tempo, passe à vontade, não temos nada com isso, tudo flui desde sempre.

O corpo de Ismael se move, as mãos desligam o carro, apagam os faróis, abrem a porta. Ele sai, caminha sobre a parede, descalça os tênis, as meias, despe a camisa, a calça, a cueca, se atira na água, mergulha, desaparece um minuto, um fôlego, e retorna com um grito de contentamento.

— Venham!

Dispo-me e vou, atiro-me às águas, fundo, fundo, até o esquecimento. Esquecido, retorno. Grito.

— Uuuuuuuuuuuuuuuuuuuuuuuu!...

— Uuuuuuuuuuuuuuuuuuuuuuuu!... — responde Ismael ao meu grito de guerra.

Nada para junto de mim, mergulha, gira em cambalhota, me dá uma pernada, ele é bom nisso, sempre foi, também sou ligeiro, revido, ele se esgueira e foge, nada como peixe por entre minhas pernas, sinto o contato de seu corpo liso sem pelos, tento agarrá-lo mas ele escapa. Dá uma cambalhota de costas e me acerta outra pernada. Rio apesar da dor. Lutamos. Mergulhos, cambalhotas, pernadas, capoeira aquática; nos atracamos, bebo água, fujo num nado ligeiro, já sem fôlego alcanço a parede do açude, alço o corpo, Ismael puxa minha perna e eu desabo na água, agora ele tenta sair e eu o puxo, ficamos na brincadeira até que finalmente saio, deito-me sem fôlego, meu corpo branco sem gorduras machucado nas lajes, não sinto dor, só enlevo quando Ismael pousa a cabeça em meus quadris, e delicadamente estende a mão e toca minha barba. Rimos. Nossos corpos convulsivos se acalmam, mergulham na placidez da noite, das águas sem remoinhos. Davi, a cinco passos de nós, bem protegido nas vestes frouxas, cantarola um poema que musicou.

Arrumo o braço direito sob a cabeça e sonho nunca mais levantar dali. A luz fraca da lua incide vertical sobre nossos corpos. Rio.

— Isso ainda é bonito.
— Às vezes é.
Davi cantarola outra canção, parece um lied celta.
— Nós vamos mesmo para um aniversário?
— Vamos, Ismael. Um aniversário que virou funeral.
— Acho que estamos adiando a chegada.
— Talvez.
— Então, vamos voltar!
— Só desejo isso! Mas não posso.
— Brincadeira! Eu sei que não podemos. O avô não merece tanta ingratidão.
— E nós não merecemos a angústia de rever a Galileia.
— Mas se não fosse pelo avô, nunca existiria essa noite. Nem as tardes com os rebanhos. Seu pé continua inchado?
— O tornozelo. Sou como Édipo, atravessaram um cravo nos meus artelhos.

Rimos. Ismael senta, toca o meu pé direito, tateia e acha a cicatriz. Deita novamente.

— Você tinha quantos anos?
— Oito. Você, onze. Eu já não morava na Galileia, tinha ido de férias. O avô trouxe você do Maranhão. Tio Natan remoía-se de ódio porque ele o registrou como filho. E eu não compreendia como você se tornara irmão do próprio pai. O avô

tentava me explicar. Você passava fome com seu povo kanela. Não estudava, não sabia ler ainda. Natan não o reconheceu como filho. Pra ele, filhos eram Elias e Davi, do casamento com Marina. Você era um estorvo, o fruto das brincadeiras com uma índia. Só isso. Mas sua mãe pediu a tio Josafá que revelasse tudo a Raimundo Caetano, e ele foi buscá-lo. Acho que desejava se redimir do que fez com os dois filhos de Tereza Araújo.

— Não fale! Ninguém na família acredita nessa história do avô com Tereza.

— Eu acredito.

— Que memória a sua, eu nem lembrava mais!

— Eu não esqueço nada. Esse é o meu castigo.

— Eu queria ter a sua memória, recordar tudo.

— Não queira. Ela cobra um preço alto. Esquecer é melhor.

— Eu pareço esquecer, mas tudo se guarda lá dentro e surge nos impulsos descontrolados. Sou capaz de matar quando sinto raiva.

— Eu sei.

— Quer fumar?

— Não! Maconha embota a memória.

— Deixa pra lá! Não preciso, agora. Acho que se você estivesse sempre junto de mim eu não fumava.

— Ora, que conversa! Tenho cara de repressor de maconheiro?

Rimos. Meu quadril começava a doer com o peso da cabeça de Ismael. Minhas costas também se machucavam nas pedras. Se eu pedisse ao primo para se afastar de mim, ele interpretaria como uma recusa a sua pessoa. Deixei-me ficar como estava. Não fossem as dores, essa presença que me turva o gozo... Lembramos de Davi, mas ele não se ligava em nós, emendava uma canção noutra, alheio ao que se passava entre mim e seu irmão.

— Você só tinha oito anos?

— Só.

— Eu achava você um sábio, lendo livros, conversando com o avô como se fosse um homem igual a ele.

— Eu morria de inveja de você e Esaú. Não montava cavalos e nunca me confiaram a guarda dos rebanhos. Me chamavam de mofino, o mesmo nome que davam aos borregos doentes, rejeitados pela mãe.

— Ha, ha, ha! Mofino! Era isso, mofino! Um empregado carregava você nos ombros, os espinhos machucavam seus pés, o pelo do capim provocava coceiras. Adonias, você era um caso perdido. Raimundo Caetano falava que você nascera para os livros, e pronto.

— Mas você jurou me levar junto pra pastorar as ovelhas, na Macambira, o pasto mais longe da fazenda. Esaú recusou, eu criaria problemas. O avô batia nele e em Jacó, quando não trabalhavam direito. Adotou os dois meninos, mas não registrou como filhos. Eles não gozavam as mesmas regalias que você, um neto de sangue.

— Dei um pião de presente a Esaú, pra ele deixar você ir.

— Você sempre foi generoso, não tinha apego a nada.

— Continue.

— Saímos de madrugada tocando as ovelhas, tantas que nem lembro o número. Levávamos paçoca de carne, rapadura, queijo e água em cabaças. Corríamos de um canto para outro. Esaú caçava com um bodoque, e eu espantava os passarinhos. De tarde, quando juntávamos o rebanho, pisei num toco de árvore e o estrepe atravessou meu pé. Vocês não conseguiam arrancá-lo, nem eu, caminhar. Escureceu. Nós chorávamos com medo de onça e de uma surra de chicote. O rebanho se dispersou e ninguém juntava, por mais que corresse de um lado para outro. Foi você quem sugeriu deixar as ovelhas e cuidar de mim, que sangrava. Os dois me carregaram nos braços. Não consigo lembrar de que jeito, sei que chegamos em casa. Raimundo Caetano deu ordens aos moradores para trazerem o rebanho ao curral, e arrancou o cravo do meu calcanhar.

E novamente Ismael estendeu suas mãos, com uma tocou minha barba e com a outra afagou o meu tornozelo inchado. Parecia consolar-me por um sofrimento antigo, de que não fora causador. E eu, que há poucos instantes reagira aos toques do meu primo, deixei-o saciar a vontade de chegar perto de mim, de alcançar-me por alguma janela entreaberta, eu que sempre me resguardara dele, protegido pela couraça de livros e vocábulos impenetráveis.

— Conte mais, primo.

Ismael chorava um pranto bom, as melhores lágrimas de que era capaz, as mesmas que vertera enquanto o avô extraía o cravo do meu pé. Ele me olhava firme, os olhos negros lacrimejados, desejando que eu também olhasse para ele, partilhando minha agonia, solidário. Conhecera muitas dores, mas eu só enxergava os cortes nos lobos das orelhas, as marcas dos kanelas. Meus pais recomendavam cuidado com Ismael, pois embora fosse filho de Natan, pertencia a outra gente, uma tribo diferente da nossa.

— Por favor, primo, termine a história.

— Raimundo Caetano suou para arrancar o cravo de madeira. O buraco no meu calcanhar era grande e ele achou que não cicatrizaria antes de eu voltar para casa. Temia que meus pais nunca mais me deixassem vir sozinho para a Galileia. Sempre fui um neto querido. Você também conhece o apego de minha mãe por mim. Lembra o que aconteceu em seguida? O avô chamou você para junto dele e, num jeito que aprendera com os antigos, colocou as duas mãos sobre sua cabeça e o abençoou, Ismael. Elogiou sua coragem e disse que você era um menino bom, um neto transformado em filho. Mas o pé não tinha jeito de sarar porque eu caminhava descalço e as pedras se alojavam na ferida. De noite o avô retirava uma por uma, com a ajuda de uma agulha. Foi você quem sugeriu que ele costurasse uma sola no meu calcanhar. Dias depois, quando o avô retirou a atadura apertada, o ferimento estava fechado.

A última frase caiu no silêncio. Davi parou de cantar e nem os grilos eu escutava mais. Senti o corpo de Ismael emborcando-se sobre o meu e tive consciência da nossa nudez. Vivíamos nus pelos açudes, nadando, pescando, atravessando riachos em balsas de troncos, bandos de meninos nus, rapazes nus, homens nus, velhos nus, sem qualquer vergonha. Agora, quando Ismael me abraçava, chorando como se desejasse recuperar os anos de exílio na Noruega, eu compreendi a ternura que nos unia.

Ismael sentou, não conseguia controlar o choro. Também comecei a chorar, sem voz para concluir a história.

— O avô juntou nossas cabeças entre as mãos. Não sei o que pretendia com o gesto. Disse que eu tinha uma dívida para com você, que não a deixasse de saldar algum dia.

O primo levantou-se e caminhou pela parede de lajes brancas do açude. O corpo que me causava inveja e medo se despojara da soberba. Percebi que puxava levemente a perna esquerda, e que ao caminhar só movimentava um dos braços. O homem que vestiu a cueca, a calça jeans, a camisa e calçou os tênis não era o mesmo que os despira.

Sentado, eu abraçava as coxas, embalando o corpo para frente e para trás. O estômago dava sinais de existência. Cessara a trégua. Daí pra frente, tudo voltaria a ser como antes?

Davi sentou ao lado, pôs a mão sobre o meu ombro. Pensei que não tivesse escutado uma única palavra da nossa conversa. Cantava o tempo todo, um baixo contínuo sem maiores efeitos, como o ruído do vento. Sussurrou aliciante nos meus ouvidos. De uma certa maneira continuava brincando com o joguinho eletrônico, o que dera de presente ao menino, em troca de não sei que favor.

— Adonias, por que o avô escolheu esse nome pra você, querido primo? É preciso investigar. Os únicos mistérios não são os meus. Comporte-se e pare de me olhar com assombro! Olhe pra você, primeiro, o menino dividido entre o avô e a mãe, que partiu da Galileia e nunca mais voltou.

Tive impulso de bater em Davi, mas deixei-o falar. Até onde iriam as insinuações dele? Continuei balançando o corpo, ao som das palavras.

— Adonias, que bela história de Édipo você possui. Quantos mistérios nessa família estranha! Não se esgotam nunca. É verdade que você pensa em escrever um livro, primo?

As águas escuras do açude continuavam me esperando. O silêncio pedia que alguém gritasse.

— Ismael, venha cá! — gritou Davi.

O irmão veio, indiferente ao que ele pudesse dizer.

— Podemos continuar a viagem?

— Quem sabe?!

— É, quem sabe?!

— Adonias!

Ismael me chamou, mas eu não respondi. Levantei-me e pulei na água. Nadava desesperado, em busca de outro oceano. Temendo não suportar a exaustão, boiei de barriga pra cima, o corpo branco à flor da água, clareado pela lua meia, metal prata.

— O que você falou a Adonias que deixou ele assim?

— Nada, só perguntei pela mãe dele.

— Você não me engana, Davi!

— Irmão, por essa estrada passamos em Pena Forte?

— Onde tem a balança do Fisco?

— Sim.

— O que você perdeu lá?

— Nada. Dizem que por conta da pesagem de cargas, os caminhões ficam semanas esperando. Os fiscais são lentos e corruptos, não mudam nunca. Chegam motoristas de todos os cantos do Brasil, e enquanto esperam não têm o que fazer. As pessoas da cidade também não têm o que fazer, sobretudo os meninos e as meninas. São pobres, por dois reais topam qualquer parada. Melhor que passar fome.

— Você não falou isso e eu não escutei, filho da puta!

— Eu li nos jornais, todo mundo sabe. Não se faça de santo!

— Chuáááááááááááááá!... Uuuuuuuuuuuuuuuuuuu uuuuuuuu!...

Saí do mergulho e num salto estava entre os dois irmãos. Ismael afastou-se para o carro e Davi ofereceu-me uma toalha. Vesti a roupa com o corpo molhado.

Tobias

Os três filhos mais velhos de Raimundo Caetano construíram suas moradas em torno da casa do pai, nunca abandonando a Galileia, propriedade da família desde os primeiros sesmeiros. Apesar das divisões a cada morte de um patriarca, ela continua extensa como se crescesse em vez de minguar. Latifúndio improdutivo, em nada lembra os inventários do passado, com até doze mil cabeças de bois e vacas.

— Os tempos são outros — diz Raimundo Caetano. — A terra perdeu a sustância. De onde se tira e nunca se bota, acaba.

Ao lado da casa do avô, uma outra se destaca. Com portas altas e janelas parecendo ameias, suas paredes grossas formam um quadrado, perfeito. Solitária num terreno de lajedos, ninguém que não a conheça sabe por onde entrar nela. O norte repete o sul, o leste e o oeste. Lembra uma pirâmide funerária. Opressiva por dentro e por fora, a Casa-Grande do Umbuzeiro deixou de ser habitada desde que um antepassado assassinou a esposa e trancou-se dentro dela. Alguns afirmam que ele nunca mais deixou o quarto escuro onde se escondeu. Outros juram que fugiu. Lacraram as portas e janelas da casa, com tudo o que havia dentro. E só foram reabertas cinco gerações depois, pelo nosso tio Salomão, quando o prédio ameaçava ruir. O avô Raimundo Caetano se opôs com veemência à decisão do segundo filho, temendo os miasmas estagnados ao longo dos anos, convicto de que eles se espalhariam por sua família, contaminando-a com os mesmos impulsos assassinos, a loucura e os desvarios do tio infeliz. Estudioso do Levítico, as maldições o aterrorizavam tanto quanto a lepra.

— O infortúnio se multiplica no vento — afirmava.

A Casa-Grande do Umbuzeiro nos espionava, enchendo de pesadelos nossas noites. Escutávamos os gritos de tio Domísio, preso no quarto escuro. Amarrado a um casamento imposto pela família, Domísio sobrevivia tocando rebanhos de bois para o Recife. Numa das viagens, apaixonou-se por uma moça jovem e risonha, na cidade de muitas igrejas. Jurou que era solteiro e acertou casamento. Mas, no sertão distante, existiam os filhos e a esposa Donana. A única maneira de livrar-se dela seria matá-la. Procurou os dois cunhados e jurou que Donana o traía. Encontrara rastros de alpargatas e chinelos na areia do riacho onde ela costumava se banhar. Marcas pequenas, de pés femininos, e marcas grandes e profundas, denunciando pertencerem a homem. Os cunhados não acreditaram em Domísio, pediram que arranjasse outras provas. Se a irmã fosse culpada, fizesse a justiça de direito. Mas se tudo não passasse de mentira, eles se vingariam.

Domísio matou Donana com um punhal de cabo de madrepérola. Enfiou-o nas costas da mulher. O sangue tingiu o riacho Trici, correu para as águas do rio Jaguaribe e depois para o mar.

— O que fiz? — perguntou apavorado, as mãos e o peito vermelhos de sangue.

Pediu asilo na Casa-Grande do Umbuzeiro, onde morava seu irmão, um padre que campeava bois durante o dia, à tardinha celebrava missa e de noite deitava com uma índia. Com ela teve doze filhos homens, número igual ao das tribos de Israel.

— Esconda-me! — suplicou.

Os cunhados vieram atrás dele, o punhal ensanguentado na mão direita do mais velho. Queriam arrastá-lo do quarto onde se escondia. Anacleto Justino, o padre, suplicou que respeitassem as leis da hospitalidade. Prometeu que mandaria o irmão embora. E, aí, fizessem o que era de direito, em qualquer descampado, encosta ou serra, mas dentro da casa, não. Casa é refúgio, útero materno. Nela, tudo se oculta.

— Ainda que seja um assassino, o hóspede é sagrado debaixo do meu teto — falou.

Domísio Justino nunca mais foi visto, fora ou dentro da Casa-Grande do Umbuzeiro. A amaldiçoada que o tio Salomão teimou em abrir e reformar.

Tio Salomão estudara novas ciências, se iluminara com os positivistas. Recebera outra luz, não apenas o sol da chapada. Munido de martelo e alicate, arrancou os pregos enferrujados das tábuas que interditaram por anos as salas e os quartos escuros.

— Luz! — gritava. — Abaixo o legado da ignorância!

Homem dedicado aos estudos e investigações, celibatário convicto, colecionou livros e ergueu a sua Alexandria sertaneja dentro da velha casa, construindo um labirinto de estantes onde gostava de se imaginar desgarrado como um minotauro.

* * *

Nos últimos anos, desde que o avô Raimundo Caetano adoeceu, tio Natan assumiu a administração da fazenda. Mora sozinho, como os tios Salomão e Josafá, porque jurou nunca mais pôr uma mulher dentro de casa, desde que a esposa Marina o abandonara, levando o filho Davi e deixando Elias, o primogênito. Se Natan é temido pelo gênio irascível e Salomão respeitado por suas ideias originais, tio Josafá ocupa o posto de tio mais querido.

Os outros cinco filhos de Raimundo Caetano, quatro mulheres e um homem, debandaram em busca de horizontes mais largos, supondo ficar a salvo do controle tirânico do pai. Três filhas não foram além da capital, Fortaleza. Enquanto tinha saúde, Raimundo fazia visitas regulares a elas, sob o pretexto de consultas médicas. Na verdade, vigiava as pobres mulheres: uma viúva cujo marido enforcara-se após um fracasso financeiro; uma divorciada que não fora capaz de administrar as traições do esposo; e uma solteirona que nunca conseguira desfazer-se da paixão pelo pai, nem compor outra imagem de homem no seu fechado coração de Electra. Minha mãe escapou dessa rede pegajosa, casou-se e foi morar no Recife, distante de Arneirós e dos parentes.

    Tobias, o mais jovem dos irmãos vivos, fugiu da Galileia com apenas dezessete anos, depois de uma disputa com Natan. Discordaram na partilha dos rebanhos. Tobias sentiu-se lesado pelo irmão mais velho e resolveu ir embora da casa dos pais. Passaram-se tantos anos sem notícias dele que todos já o imaginavam morto. Rezaram-se missas e novenas pela salvação de sua alma. Num mês de dezembro, sem ninguém esperar, chegou um cartão de Natal, com votos de boas-festas, escritos na reconhecida letra do tio, causando rebuliço na família. Havia o endereço do destinatário no envelope, e nada escrito no local do remetente. O tio não desejava ser achado. Mordido por algum remorso, dava pista de que se encontrava vivo, mas não dizia em que lugar. Começaram as diligências para identificar a cidade de onde partira o cartão luxuoso, com pinheiros e neve em estampa de seda. Através de manobras e consultas aos correios, e com a ajuda de parentes, chegou-se a Corumbá, no Mato Grosso. O restante foi bem mais fácil. Num cartório de registros de imóveis, conseguiu-se localizar o filho pródigo, mas ninguém possuía coragem para ir ao encontro dele. Quando era pequeno, Tobias tornou-se famoso pelo gênio cruel e irritadiço. Matava ninhadas de pintos, e se deleitava com os estertores das aves. Segurava-as pelos pés e batia as cabeças numa pedra. Como se não bastasse, amarrava os rabos de bois e cavalos, sentava na porteira do curral e assistia à luta dos animais, até as caudas se partirem.

    Tio Josafá nos revelou, o que aumentava as chances de tratar-se de mais uma lenda familiar, que Tobias possuía dons adivinhatórios, que chorou na barriga da mãe, e mal nasceu disse algumas palavras, registradas por nossa avó num pedaço de papel, guardado dentro de um livro. Maria Raquel, ao contrário do marido, nunca teve o hábito das leituras, cochilava depois da segunda frase de um romance, preferindo o comércio de ovos, queijos e manteigas, antes de instalar-se com o negócio das redes. Os únicos livros que abria e fechava eram dois álbuns de capa grossa, que vieram juntos com a primeira máquina de costura comprada pelo nosso avô, ao preço de dez bois e sessenta sacos de feijão. Nesses livros, com desenhos de bordados e moldes de vestidos, nossa avó guardava as economias, cédulas de papel estiradas entre as folhas, evitando que dobrassem e amarrotassem. Lá ficavam sem maiores usos, nos tempos em que pouco se comprava. Somente quando passavam os mascates libaneses, "os turcos", com malas cheias de tesouros, parecendo a caverna de Ali Babá, Maria Raquel dava-se ao luxo de gastar em pentes, marrafas, vidros de perfume, batons, ruges, tecidos, cordões de ouro, anéis, espelhos e outras bugigangas. Nosso avô vigiava de longe, louco que no meio dos panos brilhasse a prata de algum punhal, ou o cano de um revólver, objetos atraentes para os homens. Mas nos caixotes e malas dos árabes, transportados em lombos de burros e jumentos, não existia quase nada do gosto masculino.

Maria Raquel escondia os livros no fundo de um baú de cedro, dentro do qual transportara as peças mais finas do enxoval de casamento, e onde meu avô deixou cair por acidente um vidro de extrato francês. O perfume nunca desapareceu, nem mesmo quando o baú se desfez em pano e tábuas, servindo à carpintaria de uma chapeleira, que perfumava os chapéus e a cabeça das pessoas.

Os livros ganharam outro esconderijo, e tio Josafá guardou um retalho do forro do baú, para conservar a memória do perfume. Todos os sobrinhos submeteram-se ao teste de colocar o tecido diante do nariz, fechar os olhos e descrever sua fragrância. Cheirávamos o pano, viajando em lembranças de rosas, cravos, jasmins, mel de abelha, inventando o que nem de longe sentíamos, pois o damasco velho e sujo fedia a guardado, peido e mofo.

A avó Raquel nunca cedeu às súplicas dos netos, jamais mostrou o papel com as revelações de Tobias. Em suas ausências de casa, revirávamos malas e armários à procura dos livros. Nunca encontramos uma pista. Raimundo Caetano nada sabia, pois viajava quando o filho nasceu. E a parteira, única testemunha de nossa avó, morreu pouco depois do nascimento milagroso.

 As imagens que restaram de Tobias foram essas, um pedaço de papel extraviado, com as anotações de sua fala precoce, e um cartão sem endereço do remetente, que Raimundo Caetano expôs sobre um consolo, na sala de visitas da casa em Arneirós. Procissões de parentes desfilaram para ver a minúscula paisagem de neve. A seda, sobre a qual foi pintada, também exalava um perfume. O avô expunha a intimidade do filho. Redimia-se do fracasso de ter sido abandonado, e orgulhava-se da suposta riqueza de Tobias, manifestada no cartão de luxo.

* * *

 Raimundo Caetano sofria de enxaqueca desde pequeno, e experimentou os tratamentos mais extravagantes na tentativa de curar-se. Mas só a idade trouxe alívio para o desconforto, quando mudaram os humores do avô: de quente tornaram-se frios, sossegando os impulsos sexuais e as dores de cabeça. Com horas certas de acordar e dormir, Raimundo só fazia três únicas refeições por dia. Quando o relógio da casa tocava cinco badaladas, ele sentava à mesa para o café da manhã. Até o almoço, servido pontualmente às onze horas, não botava um copo d'água na boca. Às cinco da tarde, jantava. Às oito da noite, iniciava o complicado ritual noturno. Dormia num corredor da casa, pois ninguém o convencia a deitar-se num quarto, desde a separação física de Raquel. O corpo atravessado numa rede, um lençol debaixo da cabeça, um pé tocando a parede, Raimundo se embalava até que o sono chegasse. Sono curto e leve, cheio de sobressaltos e pesadelos.

 Desde que adoecera, Raimundo Caetano fora colocado numa cama. Esaú e Jacó não conseguiam acomodar numa rede seu corpo gordo e cheio de escaras. Foi como se o condenassem à insônia perpétua, ao inferno de ver as noites passarem, olhando os caibros e ripas do telhado. As pernas paralíticas não embalavam o corpo, o corpo não adormecia a mente, a mente trabalhava sem trégua, tecia rolos de fio de pensamentos, como os teares em que se fabricavam as redes. Enredado nas lembranças, sem ter mais ninguém a quem abrir o coração, porque era o último da sua espécie, Raimundo Caetano sentiu-se condenado à morte sem direito a apelação.

* * *

Entretidos com o pastoreio dos rebanhos de gado, trabalho feito nos campos abertos, os primeiros colonos dos Inhamuns não ligaram para a construção das moradas, cuidando apenas que fossem anteparo para o vento e a chuva. De palha, as primeiras casas pouco diferiam das cabanas dos índios, e só mais tarde as substituíram por construções de taipa, de largos alpendres. Chão batido de barro, móveis escassos, uma mesa e cadeiras, baús em que se guardavam objetos de ouro e prata, redes penduradas em armadores de parede. As camas peregrinavam de casa em casa, emprestadas, para que as mulheres parissem — as que preferiam ter os rebentos deitadas, porque a maioria não desaprendera o costume das antepassadas jucás, parindo de cócoras.

Quando se acumularam riquezas com o criatório de gado, surgiram construções de vulto, verdadeiros palácios, enfeitados com estátuas de mármore vindas da Europa, que chegavam aos portos do Recife e Aracati, para a longa travessia pelo sertão. Consistiam em proezas essas viagens, algumas se transformaram em romances cantados pelos poetas violeiros, e em cordéis impressos nas tipografias. A mais famosa de todas as casas, o palacete de um visconde, possuía cento e catorze portas e janelas. Foi erguida num terreno elevado, um monte de onde se avistava o rio Jaguaribe correndo solto.

A casa de Raimundo Caetano na fazenda Galileia negava os conceitos de uma arquitetura funcional; seguia o modelo trazido pelos colonizadores, repetido ao longo dos anos. O pé-direito ultrapassava oito metros, permitia que o ar quente circulasse e a sujeira cobrisse o telhado, formando novelos de pucumã que ninguém conseguia remover por conta da altura. Orientada pela moral de um tempo em que mandavam os homens, a sala de visitas abria-se para fora e fechava-se para o interior, onde as mulheres recolhiam-se nos trabalhos domésticos, ou em quartos escuros e sem atrativos. Em mais de duzentos anos, desde que demoliram a primeira construção de taipa e levantaram no seu lugar um edifício de tijolos largos com alvenaria de barro e cal, vigas, caibros e ripas de cedro, e telhas moldadas nas coxas, a Casa da Galileia sofreu reformas e acréscimos. Cada morador deixou nela uma marca de sua passagem, um embelezamento ou estrago. Mas nunca conseguiram remover a pintura de cal virgem, diluída em água e clara de ovos para garantir a aderência ao reboco, a duração e o brilho.

Quando restaram na casa apenas Raimundo Caetano, a avó Raquel, Tereza Araújo e os dois rapazes Esaú e Jacó, ela entrou em decadência, ameaçando ruir sobre os donos. Os filhos, netos, bisnetos, parentes e agregados retornavam apenas nas festas do padroeiro, aniversários e férias. Os avós já não sobreviviam dos plantios e dos rebanhos. O principal sustento vinha de um fabrico de redes artesanais, empregando mulheres na manufatura de punhos, cordões, varandas de crochê e bordados. Os quartos de dormir, as salas de estar e os terraços da casa foram ocupados por máquinas de costura e fiação. As mulheres romperam as prisões simbólicas, saíram para o mundo, quebraram as paredes do gineceu e as portas que as isolavam no claustro sombrio. Os tempos eram outros, homens e mulheres se ocupavam dos mesmos afazeres, invertia-se a antiga ordem patriarcal.

* * *

Raimundo Caetano do Rego Castro e Maria Raquel Fonseca do Rego Castro, marido e mulher, ao contrário do que se imaginaria, não eram sócios no próspero comércio de redes, competindo como dois inimigos na distribuição das manufaturas e nos lucros. Não emprestavam um novelo de linha um ao outro, nem sequer uma agulha de máquina. No começo, ninguém sabia a causa da disputa. Notaram quando Raquel passou a dormir longe de Raimundo, almoçar e jantar em mesa separada, apesar do convívio obrigatório debaixo do mesmo teto. Os dois trocavam palavras ocasionais, e na maior parte das vezes em que precisavam tratar de assuntos inadiáveis, faziam-no por intermédio de Tereza Araújo, uma negra acolhida como cria desde os nove anos, e que assumiu um lugar que Raquel muitas vezes negligenciou, o de mãe e patroa.

Raquel ainda não havia parido o seu último filho, Benjamim, quando Tereza Araújo apareceu com tonturas e enjoos. Diagnosticaram gravidez, mas ninguém sabia a quem atribuir a paternidade, pois a moça nunca possuíra namorado. Raimundo Caetano procurou um bode expiatório para o crime, um vaqueiro de suas terras, que desapareceu logo em seguida ao casamento forçado. Arrancaram o recém-nascido do peito de Tereza, antes que completasse um mês, e o entregaram a uma família caridosa, que o levou para longe, e nunca mais deu notícias. Frustrada nos carinhos maternos, Tereza apegou-se aos filhos de Maria Raquel. Eles viviam pelo quarto dela, dormiam na mesma cama, e aprendiam as rezas e os afazeres de casa com a segunda mãe.

Quando precisaram de escola, os mais velhos foram morar na cidade, sob a guarda de Tereza Araújo. Raimundo Caetano visitava os filhos uma vez por semana. Raquel permaneceu na fazenda ao lado de Tobias e Ana, sem idade para os estudos. Obrigados a um convívio mais próximo, marido e mulher moviam-se por rotas estabelecidas, como os antigos mercadores do deserto, evitando encontros e brigas. Raimundo cuidava de plantios e rebanhos, e Raquel de queijos e redes. A casa esvaziada de seis filhos tornou-se uma fábrica, e a terra um imenso algodoal.

Em sua última gravidez Raquel sofreu um prurido na pele. Coçava-se nas paredes, nos móveis, e até nas estacas das cercas. Descamou as mãos, os braços, as pernas, o pescoço e a face, assumindo aparência feia e repulsiva. Raimundo Caetano nunca mais a procurou na cama, encerrando em nove a sequência de filhos. Por infeliz coincidência, Tereza apareceu grávida novamente. Raquel fingiu desconhecer o verdadeiro pai da criança, aceitando a farsa de Raimundo. Mas pagou com os eczemas o preço da dissimulação.

* * *

Se eu pedir ao primo Ismael que pare a camioneta, olhe para mim e responda quem era o amante de Tereza Araújo, ele fingirá desconhecer. Davi responderá com indiferença que nunca se interessou pelo assunto, que a vida sexual das pessoas só importa a elas mesmas, o que é mentira, em nossa família. Vivemos chafurdando as intimidades alheias, excitados com façanhas sexuais de primos, tios, pais e irmãos. O avô buscava alguém que assumisse a nova paternidade, e Tereza insistia em atribuí-la a causas sobrenaturais.

O bebê foi novamente arrancado da mãe e entregue a um casal, que igualmente se mudou de Arneirós e do qual nunca se teve notícias. No dia em que Tereza Araújo viu Raimundo Caetano, o homem a quem chamava respeitosamente de Padrinho, ocupado em livrar-se do indesejado, sentiu uma tristeza que nunca mais curou. Exigiu como indenização que Raimundo assumisse para toda Arneirós a sociedade com ela no comércio das redes, sem jamais revelar sua parte nos lucros. Declarou-se a guerra entre Raimundo e Raquel. Na balança de poderes da família, num prato, pesava Maria Raquel sozinha; no outro, Tereza Araújo e Raimundo Caetano. Os filhos prefeririam manter-se de fora.

Um fato doloroso agravou as frágeis relações na Galileia. O caçula Benjamim, o mais amado dos nove filhos, por sua inteligência e vivacidade, morreu vítima de um erro médico, mal completara sete anos. Ardeu-se em febre por três dias seguidos, tempo em que Raimundo Caetano recusou-se a comer e dormir, a trocar de roupa e a pentear os cabelos. Rolava pelo chão, rezando e pedindo a Deus que não levasse a criança. Mas Ele a levou, apesar das súplicas. Quando comunicaram a Raimundo Caetano que o seu caçula morrera, ele levantou do chão, lavou-se, vestiu uma roupa limpa, penteou e perfumou os cabelos, mandou que lhe servissem uma refeição e comeu. Os parentes o repreenderam, indignados com tamanha insensibilidade:

  — Por que você age assim? Enquanto o menino estava vivo você jejuava, não parava de rezar e lastimar-se. Agora que ele morreu, come como se nada tivesse acontecido.

  — Enquanto ele vivia — respondeu Raimundo —, eu pensava que o Altíssimo se compadeceria dos meus sofrimentos e não levaria meu filho. Agora que o menino está morto, de que vale o meu jejum?

  Dias de luto e clamor. Difícil saber qual das mães sofria mais com a perda, Raquel, sangue do mesmo sangue, ou Tereza, que ofertou o peito cheio de leite, depois que levaram seu filho. As duas mulheres rivalizavam na dor, competindo em devoções, retratos ampliados, santinhos e coroas funerárias. Os fabricos de rede ficaram abandonados, as lavouras esquecidas, o gado faminto cobria-se de carrapatos e bicheiras, e as duas casas entraram em desmazelo. Redobraram os ódios de Raquel pelo marido, e os de Raimundo pela esposa. Tereza sentava no alpendre, esquecida dos afazeres, absorta num sestro: dobrava continuamente três dedos da mão esquerda, o mínimo, o médio e o indicador. Contava suas perdas.

* * *

  As histórias antigas da família se misturam às mais recentes. A camioneta do primo Ismael nos transporta ao velório do avô, quando esperávamos a celebração de um aniversário. Raimundo Caetano mandou erguer uma capela na Galileia, construiu dois túmulos ao lado do altar, um para ele e outro para Maria Raquel. Nossa avó protestou. Não estava à beira da morte para encomendarem seu túmulo. Nem seria obrigada a um convívio eterno com Raimundo, mesmo que separados por uma parede. Enterrassem Tereza Araújo junto dele. Ela, sim, era escabelo dos seus pés.

A construção da mastaba se deu logo após a comemoração dos oitenta anos de Raimundo. Maria Raquel gritou alto que não desejava morrer, que podia tocar a vida sem Raimundo, feliz com os pequenos bocados, o trabalho com as redes, o sono de tarde, as novelas da televisão, os banhos no açude, o feijão, o arroz. Entre as pequenas alegrias, não referiu nenhum filho, nem os netos. Raimundo doeu-se. Imaginava que Raquel não sobreviveria a ele. Mas ela vendia saúde, montava em garupa de moto, fazia campanha política, ganhava dinheiro.

Na tarde em que contemplou a obra funerária recebendo as últimas pinceladas de tinta, Raimundo sentiu uma fisgada nas costas, na altura dos rins, e precisou sustentar-se para não tombar o corpo grande e pesado. Gritou por Tereza Araújo. A Maria Raquel não pedia socorro nunca, nem que ela estivesse a um passo de distância. Não foi escutado porque um trovão ribombou no céu, faiscou um relâmpago e logo em seguida caiu uma chuva tão grossa como nunca se vira igual na Galileia. Raimundo tombou. A chuva entrando pela janela molhava seu corpo quando a afilhada socorreu-o, na companhia de Esaú e Jacó.

Teve início o clamor. Os gritos mais pareciam prenúncios do final dos tempos. Salomão e Natan viajavam. Acorreram pedreiros, pintores, costureiras, vaqueiros. Olhavam o homem caído e não acreditavam que ele pudesse morrer como qualquer um deles. Temiam tocá-lo. Ficaria no chão pelo resto do dia, se tio Josafá e os dois rapazes da casa não tomassem a iniciativa de o acomodarem num carro, partindo atrás de socorro médico. O caso era grave, um aneurisma de aorta abdominal. A operação teria êxito, não fosse um acidente cirúrgico, uma lesão de medula que deixou Raimundo Caetano sem andar. Nos meses em que permaneceu em Fortaleza, uma procissão de amigos e parentes não parou de visitá-lo. Maria Raquel nunca apareceu. Os doentes a deixavam nervosa, sentindo os mesmos sintomas. Ela nada podia fazer pelo marido.

Melhor proveito seria permanecer onde estava, administrando casas, fazenda e a fábrica de redes. Todas as vezes que olhava a igrejinha, ria do azar do marido.

— Que premonição! — dizia.

Raquel não gozava de prestígio junto aos filhos. Nunca os mimara. Gastou suas reservas de amor na morte do filho Benjamim, secando o afeto como secam os olhos d'água. Chorou quando Tobias foi embora e quando retornou uma única vez à casa dos pais, anos depois de enviar o cartão de Natal. Depois, nunca mais se enxergaram lágrimas nos seus olhos. Tobias trouxe uma mulher boliviana, uma máquina fotográfica e um revólver na mala.

— Ninguém sabe o dia de amanhã — disse ao pai.

Raquel olhou-o como a um estranho, e seu pranto foi pela constatação de que as mães também desconhecem as crias. O tio raivoso nada contou de sua vida. Olhou as plantações da fazenda, tomou banho no açude, jogou fora os arreios e a sela do tempo em que montava. Num armário da sala descobriu uma faca enferrujada, que usara na cintura, quando era menino. Foi o único pertence que levou consigo, quando partiu. Com três dias já não tinha nada mais que ver. Compreendeu que seu tempo na Galileia esgotara, e que sua vida aguardava por ele noutro lugar. Os avós também compreenderam isso, e não pediram que ficasse. Tobias já não era Tobias, e se foi. Antes, exigiu que nunca mais o procurassem, considerando-o morto, ao que acederam sem resistência.

Ismael

Somos aves de arribação. Mesmo quando partimos sem olhar para trás, retornamos; quando imaginamos firmar os pés numa nova paragem, estamos de volta. Corremos a cento e sessenta quilômetros por hora, Ismael, Davi e eu, vindos de pontos diferentes do mundo, desejando rever o quase morto, celebrar o resto de vida do avô que há três anos não levanta de uma cadeira de rodas. Impossível esquecer quem é Raimundo Caetano. Mas quem são as duas mulheres que giram em torno dele, a esposa fiandeira de redes e a afilhada rival? Maria Raquel e Tereza Araújo inventam uma nova ordem para a casa. Arruinou-se o quarto de fabrico de queijo, e as prensas lembram esqueletos de dinossauros, memória da fartura de leite. Parece que um meteoro caiu sobre a Galileia, queimou os pastos, matou os rebanhos, pôs os currais abaixo. Até os aboios dos vaqueiros são ouvidos apenas nos programas de rádio. Nos fogões de lenha não se torra café, nem manteiga, nem se produz o sabão da gordura de porcos e bois. Panelas de barro e cobre, cuias, jarras, potes e alguidares perderam a função. Minguaram, substituídos sem saudade por plásticos e acrílicos. Os moradores se confinam em poucos cômodos, e o restante da casa sem uso mantém-se de pé por teimosia.

    Ismael dirige a camioneta, sombrio. Ninguém sugere escutar música, nem puxa conversa. Deixo passar. Andamos uns bons quilômetros assim. De repente, Ismael para o carro, abre a porta, desce e caminha pela estrada. Davi dorme e eu me arrisco com o celular. Dou sorte.

    — Joana? Te acordei?

— Estava cochilando. Os meninos deitaram agora. E você, ainda está vivo?

— Quase. Essa viagem é dura.

— Eu falei pra você não ir.

— Eu tinha que vir. Não dava para escapar.

— Por quê?

— Joana... Não vamos perder tempo discutindo. O celular nunca dá sinal, cansei de ligar.

— Eu também liguei bastante. Já soube notícias do seu avô?

— Soubemos que está bem doente.

— É mais sério do que pensam. Prepare-se.

— Ah, meu Deus! Joana, eu queria estar em casa com você e os meninos. Morro de saudade. Até do hospital, imagine!

— E seus primos?

— Depois eu conto. Você entrou para uma família complicada.

— Sempre soube disso.

— Ah, é!?

— Mas você é um complicadinho bem razoável.

— E mamãe?

— Foi ela quem deu notícias do seu avô. Falou que não vai para a Galileia, mesmo que ele morra.

— Por que isso?

— Não sei. Deve ter seus motivos.

— E papai, e meus irmãos?

— Esses, com certeza, não irão.

— Bom, eles sabem o que fazem.

— Se cuide! Não volte pirado como das outras vezes.

— Já estou, antes de chegar lá.

— Prepare o bolso pro analista.

— Que alento!

— Estou brincando.

— E Marília, e Pedro?

— Choraram querendo o pai, mas adormeceram. Vou desligar, estou com sono.

— Espere um pouquinho, não seja ruim. Te adoro.
— Se cuide!
— Ei, vai desligar?
— Diga!
— Ligo amanhã. Reze para eu escapar dessa.
— Você bem que gosta.
— Joana! Joana!

* * *

Ismael volta ao carro.
— Vamos!
— Estou aqui esperando. Aonde você foi?
— Caminhar.
— Que hora pra fazer caminhada.
— Cadê Davi?
— Atrás, dormindo.
— Cachorro!
Ismael abre uma bolsa, tira vários cigarros de maconha, joga no chão e pisa com raiva. Apanha as latas de cerveja que comprou no barzinho onde jantamos e me oferece.
— Quer testar a pontaria? Aposto que não ganha de mim.
— Eu também aposto.
Recuso a brincadeira de tiro ao alvo. O primo exercita-se com as latinhas, arremessando-as num tronco de árvore, até não sobrar nenhuma. Entra no carro, e continuamos a viagem.

* * *

— Você nunca pensou em morar no sertão? — pergunta depois de longo silêncio. Eu até esquecera que viajávamos juntos.
— Pensei, por bem pouco tempo.
— E por que desistiu?

— Porque meu propósito não era honesto. Adoeço todas as vezes que venho aqui.

Corto o papo, mas Ismael conversa sério, quer que eu fale mais.

— Quando terminei o curso de medicina, decidi ser médico em Arneirós. Vim com meu pai, e pela primeira vez encarei a cidade com outros olhos, os de um profissional que escolheu o exílio. Estranhava o mundo em que vivi até os cinco anos, e de onde fui embora, voltando apenas nas férias. Culpava-me por ter abandonado o sertão. Você conhece essa culpa, garanto. Mas, aqui, todos estão de passagem ou de saída. É o que sinto, agora.

Penso em terminar a conversa, mas o primo ouve com interesse.

— O prefeito animou-se em receber um médico filho da terra, membro de uma família ilustre. Mostrou-me o hospital sem recursos, o ambulatório acabrunhado, a equipe despreparada. Eu sonhava com residência, mestrado e especialização em Londres. Admiro os generalistas que fazem partos, pequenas cirurgias, são pediatras e clínicos. Para mim eles representam os verdadeiros médicos. Mas eu sou metido a intelectual, queria outras coisas. A Galileia foi um lugar de férias, de meninice. Com a idade tornei-me um visitante arredio, sobretudo depois do que aconteceu com Davi. Não vamos falar nisso.

— Vamos, sim, eu faço questão de falar.

— Davi! Davi, acorde! — chamo o primo para entrar na conversa. Está dormindo ou fingindo que dorme. Olho a paisagem desolada.

— Não chamo esse mundo de bárbaro. Imagine se tio Salomão me escuta. Mudo de impressão sobre ele a cada quilômetro. Meia hora atrás, quando tomamos banho no açude, achei que não existia lugar melhor. Agora, já não acho. Ficamos presos na nossa infância. Você já leu alguma coisa de Freud? Deixa pra lá! Tudo acontece nos cinco primeiros anos. No restante da vida, não fazemos mais do que remoer esse tempo. O papo ficou chato, já falei demais. Bota um CD. Tem algum disco de Damien Rice?

— Não quero música. Vá, continue! Você sempre gostou de falar e eu de ouvir.

— A Noruega é bonita?

— É muito. Aqui também é. Mas ninguém procura os lugares porque são bonitos ou feios. As pessoas saem atrás da sobrevivência. Muita gente deixou a Noruega, anos atrás, por conta da crise econômica. Iam para os Estados Unidos. Quando a economia do país melhorou, ninguém mais saiu de lá. O problema agora são os imigrantes, os que querem entrar no país. Quando os Inhamuns eram uma terra rica, cheia de pasto, não parava de chegar gente. Hoje, só fazem ir embora.

— É verdade.

— A Noruega é um sertão a menos trinta graus. As pessoas de lá também são silenciosas, hospitaleiras e falam manso. Habituaram-se aos desertos de gelo, como nós à caatinga. A comparação parece sem sentido, mas eles também olham as extensões geladas, como olhamos as pedras. A nossa pele é marcada pelo sol extremo, a deles pelo frio. Acho que as pessoas são as mesmas, em qualquer latitude.

— Mudam as culturas, as crenças, o grau de civilização.

— Eu falo da essência.

— Não sei o que é isso. Concordo com você que buscamos lugares onde se possa viver bem, onde exista trabalho, chances de prosperar. Para mim, civilização e ordem são essenciais.

Damos uma pausa. Surpreendo-me novamente com a conversa do primo, a solenidade de sertanejo. Espero o humor seguinte: sobriedade ou exaltação?

— Você sofreu um choque térmico de sessenta e dois graus — falo brincando.

— Não é fácil. Só sobrevive quem se adapta.

— E seus planos?

— Teve a prisão, complicou minha vida. Não sei ainda pra onde vou. Minha filha mora lá, mas eu perdi a guarda.

Numa rasteira de mestre de capoeira, muda o assunto.

— Mas você ainda não me falou por que desistiu de Arneirós.

— Pela falta de banheiros.

Rimos.

— É verdade, não deboche. Boa parte da população ainda hoje vive como na Idade Média, ou feito índio, usando os descampados como privada. Civilização não existe sem saneamento. Concorda?

Ismael continua rindo, como se eu estivesse contando alguma piada.

— Deixei tudo acertado com o prefeito, voltaria assim que colasse grau. Minha família de cá soltava fogos. Meus pais me escutavam com ceticismo. Saímos de Arneirós, meu pai e eu, visitamos nossa antiga fazenda em Saboeiro e partimos de volta para o Recife num começo de tarde. Próximo a Jucás, o carro quebrou. Eu queimava de febre, ardia no sol quente de dezembro como se fosse evaporar. Não havia um único arbusto que me protegesse. Tinha conhecimento de uma epidemia de meningite, e achei que me contaminara. Fantasiei sobre a morte na estrada poeirenta. Aterrorizei-me. Por sorte, improvisaram um conserto no carro, e conseguimos chegar a Jucás. Alojaram-me numa pensão sem banheiro e sem privada no quarto. Era a melhor da cidade. Você conhece aqueles hoteizinhos baratos, as paredes sebentas, uma rede suja em que se deitaram dezenas de pessoas, e que nunca foi lavada. Não havia água para banho, nem remédio. Da janela, eu avistava o cemitério com túmulos pobres e feios. Imaginei morrer ali, ser enterrado no cemitério, no meio de defuntos anônimos. Quanto mais olhava aqueles túmulos azuis e brancos, o terror aumentava. Cadê as glórias do passado sertanejo, exaltadas por genealogistas e historiadores? Só me caberia um cemitério insignificante, num lugar esquecido. Odiei o sertão, sua miséria e abandono. Eu desejava os bens mais primários da civilização: água, um banheiro revestido de cerâmica, chuveiro e bacia sanitária. Só isso. Ao fim de um corredor, do lado de fora da casa, existia um quarto escuro com uma jarra d'água, um caneco e um buraco cavado no chão. O mau cheiro me provocava vômitos. Lembrava o conto de um escritor americano, a história de uma mulher que tinha pânico de ser enterrada num cemitério de cidade pequena. Acreditei que ia morrer, e desprezei o sertão e sua gente. A febre e o delírio agravavam o meu horror. Nesse dia eu resolvi nunca voltar.

— Que pena! Você mudaria essa realidade.
— Acha que nasci com vocação pra santo?

Adonias

Os ansiolíticos que engoli compulsivamente dão sinais de efeito. Experimento uma lassidão conhecida, o corpo entregue à poltrona do carro, o raciocínio preguiçoso. Refaço uma trajetória de pensamentos e imagens, antes de cair no sono. Tento situar-me no presente. Viajamos para a Galileia, os faróis projetam luz na tela escura do asfalto, Ismael à minha esquerda, desejo tocá-lo e me contenho, Davi no banco de trás, a leseira conhecida, falo como um idiota, nem sei se alguém me escuta.

— Oitenta e cinco anos, Raimundo Caetano... Casou com dezenove... Maria Raquel com treze... Uma bela festa de aniversário... Dançaram três dias seguidos, no casamento... Maria Raquel bonita no vestido de noiva, o cabelo preto de índia... Esconderam o retrato depois que brigaram... Os filhos querem a festa... De braços dados os dois, olhando para a frente, um ramo de bogaris na mão direita... Sinto o cheiro das flores e lembro a avó bonita... Por que o amor se transforma em rancor?... Três anos na cadeira de rodas, dependendo dos outros... Jacó e Esaú limpam as escaras podres... Cheiro adocicado de flor... Jasmim, bogari... Festa ou enterro?... Enterro... As pernas não dançam mais... Melhor morrer... O avô dançou na festa de oitenta anos, parecia eterno... Joana sabe que ele morreu... Não quis me dizer, mas sabe... Joana... Esqueci o fio dental... O cinto me aperta, acho que a minha barriga cresceu... A pasta de dentes eu trouxe...

* * *

Ismael: — Durma, Adonias! Preciso de você bem descansado, as ideias claras, a conversa afiada. Todos temem sua lógica. Fique do meu lado, não me deixe sozinho. Se o avô morreu, meu único aliado é você. Caminho para a toca dos leões. Lembra a história de Daniel? Os tios aprontaram uma cilada e esperam que eu caia nela. A Galileia também me pertence, por mais que neguem. Faço parte da família, sou um bastardo com o mesmo sangue.

Não falei os nomes das árvores e dos pássaros, nem contei minha história. Você conhece apenas os meus anos na Galileia, de quando o avô me trouxe ao dia em que fui enxotado. Desconhece o que me aconteceu depois que fui embora. Repito no seu sono: não toquei em meu irmão Davi. Estou limpo, juro. Não acredite nas mentiras que o pai e os tios inventam.

Davi: — Durma, primo Adonias! Você pensa demais, sofre pelo que não compreende. Finge o mesmo fascínio da família diante de mim. Mente, controla o que faz e diz. Gostaria de mexer as pedras do jogo da onça, sozinho. Lembra o jogo que tio Josafá nos ensinou? Uma onça solitária acuada por doze cães. Quem de nós é a onça? Você? Ismael? Elias? Ou serei eu? Acho que a onça não é você, primo. O seu lugar na história da família é medíocre. Você não passa de um existencialista tomando notas numa caderneta. Falaram que escreve um romance. É verdade? Contribuirei para o seu livro, mas não acredito que ele seja grande coisa.

Pretende escrever sobre nós, mas não sabe de nada. É incapaz de tocar feridas, sujar-se de sangue. Nem parece médico, lembra mais um cineasta por trás das lentes de uma câmera. Adonias, você filma panorâmicas, grandes angulares. Os pequenos enquadramentos, os quartos escuros não lhe interessam.

Escreverei páginas para você, sobre o que nem desconfia. Só não confessarei quem estava ao meu lado naquela tarde. Os fatos aconteceram no seu set de filmagem, e você os desconhece. Os atores se rebelaram, fugiram ao script. Existe uma coisa que você nunca confessou: desejaria estar dentro da casa, e não do lado de fora, como espectador. Falo ao seu ouvido enquanto dorme. Sou um gênio do mal perturbando o seu sono. Acorde, primo, já dormiu demais.

— Você falou, Davi?
— Falei não, Ismael.
— Adonias adormeceu.
— Ele não bebe álcool nem puxa fumo, mas o que engole de comprimido...!
— Adonias pensa que o avô morreu. Sente-se culpado porque é médico e não fez nada por ele.
— E tem alguma coisa que ele possa fazer?
— Os médicos sempre acham que podem.
— ...
— ...
— Estou com sede, Ismael. Vamos parar num posto de gasolina.
— E Adonias?
— Fica dormindo no carro.

* * *

— Nem deviam chamar essa pocilga de lanchonete. Você viu? Não deu pra comer nada. A coca-cola estava quente, o sanduíche, frio. Não existem outros lugares nessas cidadezinhas, só postos de gasolina? Parece que as pessoas não têm o que fazer. Sentam em mesas, bebem cerveja, jogam totó e ouvem essa música horrível. Ainda bem que não para de chegar e sair caminhão. Quando fui ao banheiro vi dois motoristas tomando banho. Depois vi um deles entrando com um menino na boleia do carro. Devia ter uns catorze anos. Estamos na rota do gesso?
— ...
— Ah, você não sabe dessas coisas, vive fora há tempos. Nessa rota transitam caminhões e motoristas solitários, carentes de sexo. Eles passam semanas sem encontrar as esposas. Os meninos e as meninas se oferecem nos postos de gasolina.

São pobres, não frequentam escola, ninguém cuida deles. Vão passar fome? O jeito é se prostituir. Fazer o quê? A grana das minas de gesso não chega às casas deles. Nem ao bolso dos caminhoneiros. Eles também são fodidos, e não sentem compaixão nenhuma. Gozam e vão embora.

— ...

— Antes, o único flagelo era a seca. Esquece!

— ...

— A rota do gesso fica em Pernambuco, e nós atravessamos o Ceará. Não faz diferença, é tudo igual: a mesma paisagem, o mesmo povo, a mesma miséria.

— Não quero ouvir essa conversa. Faça o favor de calar a boca!

— Desculpe! Esqueci que você é discípulo de tio Salomão, orgulha-se de ser nordestino.

— Não vou responder.

— ...

— ...

— O que acha de dormirmos num motel?

— Adonias prefere dormir na Galileia.

— Pra ele não faz diferença, só vai acordar daqui a três dias.

— Então, vou continuar dirigindo.

* * *

Acordo de repente, o coração disparado. Apesar de os tranquilizantes deixarem um torpor residual, uma vigília implacável põe os meus pensamentos em ação. Sinto a mesma angústia da véspera. Toco o pescoço gorduroso, não tenho mais febre, apenas dor de cabeça. Estranho o quarto. Davi ao meu lado, numa cama de casal, nossos corpos em sentido contrário. Visto a mesma roupa da viagem, a camisa fora da calça, os pés descalços. O lugar se revela através dos sentidos, um cheiro de fossa, a luz do sol. Serão quase dez horas. Davi também não despiu as roupas. Dorme num ângulo da cama, afastado de mim. Ismael estirou-se num colchão, no piso sujo de cimento. De bruços, vestido com uma cueca, um filete de baba no canto da boca, é a imagem do desleixo.

    Levanto-me e sinto tonturas. No banheiro de paredes sujas, sem nenhum revestimento cerâmico, tenho ânsias de vômito por causa do cheiro forte de merda. Lavo o rosto com uns pingos de água que caem da torneira. Água escura e malcheirosa, nem escovo os dentes. Abro a porta do quarto com cuidado, saio num corredor escuro, depois numa recepção com a TV ligada num noticiário policial. Uma delegacia, um delegado, um jornalista, um rapaz com algemas, o tórax nu cheio de tatuagens. A câmera gira, o rapaz sem camisa veste uma bermuda baixa, as nádegas à mostra. A câmera aproxima o rosto em primeiro plano. O jornalista lê numa folha de papel a relação de crimes que o bandido praticou, pede que ele confirme roubo, estupro e assassinato. Mas o garoto nega, o rosto moreno sem expressão.

    O recepcionista não questiona minha presença. Pergunto onde fica a saída. Clone Hotel, leio numa placa do lado de fora. Os muros caiados de branco, o acesso difícil na encosta de serra. Avisto a estrada, um arruado de casas, um posto de mototáxi, um caminho pavimentado ladeando o motel. Sento-me numa pedra. Não me enganei, já são dez horas, o sol ferve os lajedos. Sinto-me bem com o calor e decido esperar que os primos acordem. Não tenho fome, nem sei se oferecem café da manhã na espelunca.

    Lá embaixo na estrada passam carretas. Na vila, um carro vende botijões de gás, uma caixa de som toca música alta. Mulheres saem às portas, o carro de gás para. O vendedor não tem pressa, as mulheres não têm pressa. Não consigo imaginar sobre o que eles discutem, até que o homem retira um bujão da carroceria, entra numa casa e retorna com outro bujão. A compradora entrega uma cédula ao vendedor, ele olha a nota contra o sol e confere se não é falsificada. Saca um maço de notas do bolso, entrega o troco, conta todas as cédulas do maço, molhando os dedos na saliva. Enfia o dinheiro no bolso esquerdo da calça, retira e põe no bolso direito. Uma mulher traz água num copo de alumínio que reflete o sol quente. O homem bochecha a água, cospe o bochecho e depois engole a sobra do copo. Tudo isso leva um tempo infinito, parece não acabar nunca, como se as pessoas não tivessem em que gastar as horas. O carro parte, mas estanca logo adiante. O motorista liga e acelera, dá ré, volta para junto da compradora que não saiu da porta de casa. Os dois conversam, e ele parte novamente, acenando com o boné.

Enxergo o mundo em volta de mim, afogado em sacos plásticos, que o vento carrega de um lado para outro. Uma velha caminha com uma lata d'água na cabeça. Até aquele momento, nunca soube de sua existência, e ela igualmente nunca soube de mim. O que pensa? Quantas vezes ela encheu as jarras de casa, desde menina, quando só podia com um balde ou um potezinho? A certeza de que a mulher não sabe quem eu sou agrava minha angústia. Corro para junto dela, ofereço-me para ajudá-la? Não saio de onde me sento. Amanhã não estarei aqui para socorrê-la. Melhor deixá-la sozinha com a lata.

"Em qualquer cidade aonde o acaso me leva, me surpreende que não ocorram levantes diários, massacres, uma carnificina sem nome, uma desordem de fim de mundo." O sol e o calor agravam o meu delírio, um filósofo romeno afirmou isso, não escuto mais nada, apenas as palavras de Cioran. Nunca acho a definição exata das coisas, nem elaboro frases que me pareçam perfeitas, capazes de expressar o que sinto. Os outros escritores se antecipam a mim, escrevem o que gostaria de ter escrito. Já pensaram tudo, nada sobrou que eu possa inventar. Num país que nunca visitei, um homem escreveu sobre pessoas iguais às que olho agora. Mesmo se elas vivessem isoladas, se repetiriam como leis genéticas. O homem distribui o gás, a mulher carrega água, os meninos jogam bola na rua sem saneamento. E se eu ficasse morando ali, alguma coisa mudaria? Certamente nada.

Duas garotas saem do motel. Devem ser menores. Usam shorts curtos. Os cabelos molhados, crespos e longos, cobrem os ombros. Passam junto de mim, provocantes. Compreendo a intenção dos seus risos. Uma delas para logo adiante, simula arrumar a sandália, ri e fala alto. Nesse tempo me olham, devo estar com um aspecto deplorável, mas não deixo de ser um rapaz diferente dos que sobem as ladeiras do arruado. Perguntam-me as horas, pretexto ingênuo para uma abordagem. O desejo cruzando as sinapses da consciência causa-me horror e pânico. Respondo com timidez, falo que o sol está quente, viro o rosto para um outro lado, e quando as procuro novamente, descem a encosta faceiras, virando-se a cada minuto para trás.

Um cachorro late no arruado. Jogam água de uma janela no meio da rua, quase molhando dois meninos que batem bola debaixo do sol quente. Os cinco motoboys não pegaram nenhuma corrida durante o tempo em que fiquei sentado, olhando a estrada e o mundo a perder de vista. Um boy gordo cochila num banco de cimento, debaixo da marquise do posto. Dois outros jogam com palitos de fósforo. As duas moças se dirigem até eles. Certamente se conhecem. Um dos boys segura a moça mais jovem pela cintura e beija-a no pescoço. Ela se solta e dá um tapa em seu rosto. Ele agarra as mãos dela e beija-a várias vezes, enquanto ela tenta se desvencilhar. A outra moça ri, enlaçada por um motoqueiro alto e louro, que me parece bonito. O gordo acorda e põe-se a rir. Chegam mais dois motoqueiros, ambos sem capacete. As moças montam nas garupas de suas motos e partem, espantando porcos e galinhas que chafurdam no meio da rua sem calçamento.

Em uma das casas ligam o aparelho de som numa música evangélica. Uma cantora de gospel convida os desgarrados para um encontro com Jesus. Sou uma ovelha perdida do redil do Senhor. Rio e sinto fome. Comi pouco, desde que saí do Recife; se continuar me tratando desse modo, morrerei antes do avô Raimundo Caetano. A propósito, será que ele ainda está vivo? Tento o celular, mas continua fora de área. Em toda a região não existe serviço de telefonia móvel. Joana e as crianças estão longe, não consigo torná-los reais dentro de mim. Desligaram a música na casa evangélica. Ouço gritos de pessoas, mas não distingo o que dizem. Será melhor acordar os primos? Que diferença faz se prosseguirmos ou voltarmos? Posso descer a pequena ladeira que separa o motel do arruado, dirigir-me a um dos motoqueiros e pedir que me leve a algum lugar. Mas lembro que eles não possuem capacete para os passageiros. Não estou tão mal como suponho, pois não esqueci minha segurança. Podemos entrar por uma estrada, ir bem longe, aos lugares onde antigamente existiam fazendas de gado, passar na frente de casas fechadas. Moram pessoas velhas nessas casas arruinadas, escuras e cheias de tralha inútil. Elas vivem da aposentadoria de um salário mínimo. A fumaça dos telhados denuncia a presença delas. Grito "ô de casa". Uma velha atende. Mora sozinha. Todos partiram, mas ela resistiu ali. Manda que eu entre, que me abrigue do sol. Parece louca. Cozinha em fogão de lenha, em panelas de barro, pretas de fuligem. O motoboy pergunta se vou ficar, ou se desejo bater em outras portas. As casas não diferem umas das outras. As que não estão vazias são habitadas por velhos esperando a morte. Sento numa calçada de tijolos. Também quero ficar em silêncio, largado e esquecido.

    Quem me garante que os pensamentos cessarão de remoer dentro de mim? Eles nunca se acalmam. Temo perder o juízo. Posso arriscar. Voltam os peristaltismos do vômito, engulho e boto a bile para fora, os olhos se enchem de lágrimas e nem é choro, apenas o azedume do estômago vazio. O sol insuportavelmente quente, a pedra queima minha carne. Invejo o motoqueiro gordo que ronca num banco de cimento e o rapaz louro que beijou a moça no pescoço sem nenhum remorso. Por que não compro uma moto e fico morando aqui? Como é o nome desse lugar? O que as pessoas esperam da vida? Duas mulheres saem da casa sonora evangélica, livros pretos nas mãos, devem ser Bíblias. Elas leem as Escrituras como o avô Raimundo Caetano lia? Deus é um só. E por que elas vestem roupas de tecido sintético, quentes e deselegantes? Prendem os cabelos, não os deixam soltos como as duas garotas que me cantaram, querendo transar comigo. Corri da parada. — Você é um frouxo — diria nosso tio Josafá. — Não puxou o sangue dos Rego Castro. — Não puxei. Por que não transponho o caminho até o posto das motos, desapareço de uma vez e me livro do estigma dos Rego Castro? O sol me derrete. Sinto arrepios no corpo, um joelho colado nas minhas costas. Escuto a voz de Ismael me chamando.

Natan

Natan espreita de uma janela lateral da casa onde mora. Foi para aquela vigia que lancei o primeiro olhar, assim que chegamos à Galileia. Não errei a previsão, ele tocaiava o mundo. Para o tio, tudo começa e finda ali. Se o levarem ao edifício mais alto de Tóquio e perguntarem o que avista, certamente ele dirá: Galileia. As janelas abertas por Natan, em qualquer hotel de luxo ou pensão escura, revelam um terreiro e cinco casas. As cidades são mundos irreais, pois só existe Galileia.

Pulamos da camioneta, os três ao mesmo tempo. Parecemos bailarinas de nado sincronizado: as batidas do coração marcam nosso ritmo, direita, esquerda, direita, esquerda. Pisamos o chão de cascalhos, contemplamos a paisagem, sacudimos a poeira do enfado e nos dirigimos para a casa de Raimundo Caetano. Ninguém corre ao nosso encontro, nem Aleph, o cão do avô. A bagagem continua no carro, estamos de passagem. Transponho a porta, avisto as primeiras pessoas na sala, desejo recuar mais uma vez. Retrocedo ao ponto de onde não deveria ter saído: Recife, Joana, as crianças.

O tio mira de longe, de uma janela no paiol da casa. Afia as garras, prepara voo. O sol refletido nos seus olhos queima. Esmerilham as facas da Galileia, como nas vésperas de festa. Sangravam carneiros e novilhos. Qual de nós três será o sacrificado? Que não seja eu, penso enquanto entro na sala. Busco distinguir as pessoas, respondo aos cumprimentos.

— Bom dia!
— Olha quem chegou!

As bênçãos tomadas, os apertos de mãos, os raros beijos. Sou o primeiro da fila, o mais destemido. Defendo-me dos olhares que tentam adivinhar-me. Mantenho o corpo em guarda, não relaxo um único músculo. Logo desistem de mim e aclamam Davi. Ele aceita os afagos, entrega-se sem resistência. Minguadas carícias, uns dedos que tocam os cachos dos cabelos, outra mão que arruma o colarinho da camisa, um tio que envolve a cintura do primo com o braço. Todos amam Davi. Resta Ismael, no limiar da porta. Apenas o avô se mostra ansioso por abraçá-lo. E é para ele que Ismael corre. Atravessa pelo meio dos vendilhões do templo, não escuta protestos, nem reclamações. Retorna depois de anos, sem louros nem triunfos.

— A bênção, avô!

— Ismael! Foi preciso que anunciassem minha morte pra você voltar aqui.

Ismael se ajoelha e beija a mão de Raimundo Caetano. O avô cheira a carniça, deixaram que ele apodrecesse. Baixo a cabeça envergonhado. Lembro as histórias dos santos, eles exalavam um doce perfume enquanto morriam. Levanto a cabeça, olho os parentes em volta e sinto vontade de anunciar para todos que o avô não é santo porque fede. Mas não tenho coragem de falar. Esaú cochicha no meu ouvido que Raimundo Caetano ainda não tomou banho, nem fez os curativos. Pois cuidem disso logo. O avô e Ismael choram abraçados e as pessoas em volta trocam olhares incompreensíveis. Davi retira-se para a cozinha, na companhia das tias. Escuto as palavras piano, concerto, Paris, Nova Iorque. Os movimentos e as vozes retornam, a sala ganha vida outra vez.

Ismael permanece ajoelhado aos pés da cama, sustenta a mão do avô e olha para ele. Eu avalio o paciente, assumindo com timidez o papel de médico. Ele respira mal, está pálido e febril.

Natan entra no campo de luz da porta. Todos se viram para ele. A luz forma um retângulo onde a sombra do meu tio se espraia como se fosse infinita. Que poder lhe confere essa luz única dos Inhamuns! O gavião desceu do penhasco e avança sobre as presas. Visto de frente, Natan parece imbatível. Sinto um medo passageiro, e depois me controlo para não rir. Algum movimento do tio lembra o rufião das comédias de circo. Ele avalia a plateia. Comparo as vidinhas do motel e do arruado pobre com esse mundo da Galileia, onde as pessoas se movem como nas tragédias.

— Adonias!
— Tio, como vai?
— Como sempre.
— Papai e mamãe mandam lembranças.
— Agradeço. E Davi?
— Na cozinha, com as tias.
— Com licença.

E sai. E não dirige nem olhar nem palavra a Ismael. Eu o avisto de costas, fora do recorte da luz. Seu corpo parece menor, as pernas bambas, o cabelo manchado de branco, as botas de couro gastas, a roupa surrada. Um homem comum e sem força, que puxa levemente de uma perna e arqueia os ombros quando caminha. Igualzinho ao filho que renega.

Fico de pé, comparo nossas alturas. Pedirei a ele que se encoste na parede, que saque a faca da bainha e risque com a lâmina o lugar onde termina sua cabeça. Quero fazer o mesmo que fazia quando Elias, Ismael e eu éramos crianças. Media-nos. E ria de mim porque demorei a crescer. Chamava-me nanico. Natan era o gigante Golias, de tamanho assombroso. Agora me parece tão menor do que sou. Rio nas costas dele, do tio que nunca se despiu na nossa frente, nunca tomou banho de açude conosco. Até o avô não se envergonhava de mostrar as banhas e o saco escrotal arriado. Ismael falava que o pai tinha a rola pequena, e se envergonhava de mostrá-la.

Cresci acima de Natan e isso me deixa alegre, abre meu apetite. Penso em ir à cozinha, comer um prato de feijão verde com queijo. Desvendarei o fundo das panelas, escolherei os melhores torresmos e nacos de carne, os que nunca foram para o meu bico, pois sempre existiram rapinantes de mais força do que eu. Para mim, ficavam apenas os restos.

De onde vem o rancor que contamina a família? Quando era menino, tentei iniciar-me nos mistérios dos adultos, mas sempre que as conversas se tornavam sérias pediam para afastar-me. Fingia dormir, estirava-me no chão ou deitava numa rede. As vozes baixavam, a escuta se tornava impossível, por mais que apurasse o ouvido. Certa vez mencionei sem querer os amores de tio Tobias, um segredo cochichado nas noites. Perguntaram como fiquei sabendo. Inventei uma mentira, não me faltava imaginação.

— Vento tem boca e parede tem ouvidos — sentenciou minha avó. — Um deles contou a história ao menino.

Riam de mim. Descobriram o ardil, e mal fingia dormir me carregavam para a cama. Ninguém acreditava no sono repentino, uma doença que me acometia todas as vezes que chegavam parentes para visitas noturnas, quando rolavam histórias picantes, segredos e fuxicos.

* * *

Poucos herdaram o sangue viajante dos antepassados como Natan. Investiu na compra de peles, um comércio que dependia das exportações, deixando-o ora rico, ora pobre. Comprava couros no Ceará, no Piauí e no Maranhão, chegando a estabelecer salgadeiras em terras de Goiás. Numa dessas viagens, conheceu Maria Rodrigues, uma índia kanela de Barra do Corda, sem maiores predicados que servir de garçonete num boteco suspeito e prestar favores aos homens. De tanto ouvir as histórias dos portugueses que deitaram com índias jucás dos Inhamuns, nosso tio desejou o embalo de uma rede kanela. Acostumado a possuir as mulheres em que botava os olhos, Maria Rodrigues, a quem ele nunca perguntou o nome de tribo, foi caça fácil. Nos anos em que manteve o comércio em Barra do Corda, tio Natan usou os serviços da índia e de seus parentes degradados pelo álcool. Comprava peles de onças, porcos-espinhos, gatos-do-mato, todos proibidos de caça, sob a vista do serviço de proteção aos índios e aos animais.

Numa ida ao Maranhão, Natan encontrou Maria Rodrigues barriguda. Ela tentara todas as ervas abortivas que as mulheres do seu povo conheciam, mas a criança fizera questão de vingar. Natan não reconheceu a paternidade do mestiço, alegando que Maria deitava com qualquer um que lhe pagasse uma dose de cachaça ou uma cuia de farinha. Manteve o comércio em Barra do Corda por mais cinco anos, porém nunca voltou a procurá-la. Avistou o filho descalço e nu, brincando com os outros meninos da tribo, e nada dentro dele se comoveu. Numa das últimas viagens, quando fechava o armazém e liquidava o comércio falido, trouxe o irmão Josafá. Foi ele quem escutou de Maria Rodrigues a história, quando descansavam do esforço de horas de amor. Ela garantiu que Natan era o pai. Josafá não teve dúvidas de que a índia falava a verdade, pois reconheceu no menino a cópia perfeita do irmão. Sentiu inveja, pois sempre desejara um filho homem, mas a esposa só lhe dava meninas.

Mal chegou à fazenda Galileia, encheu os ouvidos do pai com o relato da índia. Raimundo Caetano contou a Maria Raquel, que se limitou a repetir o provérbio: quem pariu Mateus que o embale. Se trouxesse para dentro de casa todos os bastardos dos Rego Castro, precisaria abrir uma creche ou orfanato. Marcada pela história dos filhos de Tereza Araújo, cujo nome do pai ela sabia e não tinha coragem de pronunciar, Maria Raquel bateu o pé e ameaçou sair de casa se trouxessem o bastardinho kanela para viver debaixo do mesmo teto em que ela vivia. Raimundo Caetano esperou dois anos, mas um dia ausentou-se por três semanas, retornando com um menino magricela e malvestido. Era Ismael. Ele mesmo escolhera o nome, e o registrara como seu filho legítimo e de Maria Rodrigues. A partir daquele dia Ismael tornou-se filho do avô, irmão do pai, e nosso tio por direito. Natan, que não suportava ver-se repetido de maneira tão fiel, passou a odiar o filho e a persegui-lo todos os dias em que habitou a Galileia.

Josafá

Escolhi pouso na casa de tio Josafá. Ismael preferiu a casa do avô, seu pai por direito civil, e Davi alojou-se sob as asas de tio Salomão. O membro da família que todos consideram louco sempre me pareceu o mais saudável. Deita às sete horas e às três da madrugada já escutamos seus passos preparando café, revirando gavetas à procura de nada. O rádio fala alto, a televisão oferece produtos, o liquidificador gira as hélices, a forrageira estrala, as galinhas cacarejam, as vacas mugem, relincham os cavalos, latem os cachorros. Sobrepondo-se ao bulício a voz afinada de tio Josafá canta melodias que só ele conhece, como se desejasse afugentar o resto da noite. Avesso às tragédias, afim das comédias e farsas, de mágicas no baralho, adivinhações, pulhas, versos safados, pequenos negócios escusos, canários e galos de briga, vive cercado de meninos, que rodopiam em volta dele, esperam uma brincadeira ou uma mentira ingênua que ele jura ser verdade, com a cara safada. Sozinho numa casa arruinada, a esposa na cidade com a filha deficiente mental. Homem abandonado à própria sorte, vê a mulher apenas um dia na semana. Vai, vê e volta.

    Casado com a bela Eunice, sempre comovida, os olhos cheios de lágrimas na expectativa de pranto.

— Josafá!

Pronuncia as consoantes e vogais.

— Josafá!

Repete enquanto aguardamos uma revelação, as lágrimas nas janelas dos olhos, bonitos olhos verdes para o nosso tio gordo, dentuço e alegre.

— Josafá!

Mas não diz nada, passa a mão com carinho nos cabelos oleosos do tio, necessitados de lavagem diária com xampu — talvez seja essa a queixa dos olhos lacrimosos, a sujeira dos cabelos, ou talvez se desgoste com as mulheres sebosas que o tio frequenta no único dia em que vai visitá-la em Arneirós, as moradoras de uma periferia distante. Estação final do trem de carga, ruas inteiras tomadas de pedras de gesso. Gesso é o nome do lugar onde fica o cabaré; coisa mais antiga, mais fora de moda, as putas, o gesso branco empoeirando ruas e casas, cobrindo as almas luxuriosas das mulheres com o branco impoluto do gesso, o mesmo que o trem leva para a capital, onde se transforma em anjos e santos sem pecados, nas mãos habilidosas dos artesãos.

— Atirem a primeira pedra nesse homem seboso — talvez desejem dizer os olhos de Eunice. Mas não vão além de um suspiroso: Josafá!

— O que tens, Eunice? Fala!

Não falam nunca aqueles olhos iguais aos de santa mártir, escleróticas à mostra, íris para cima. Esposa traída, a mão no peito arfante, feminina, reservada, casta, torre de marfim.

— Josafá!

O nosso tio não ligaria tantos eletrodomésticos ao mesmo tempo, as hélices girando, as bobinas em elevadíssima frequência para romper os tímpanos de vez, se nunca escutasse a voz percutindo martelo, estribo e bigorna de uma culpa antiga de ser homem, poderoso por dever de nascimento.

— Josafá!

Tia Eunice bonita, em vestidos da moda que ela mesma costura. Aos domingos, frequenta sozinha a última sessão do cinema. Solitária no decote generoso, até que algum homem sente junto dela. Veio parar na cidade quando as filhas precisaram estudar. As três meninas que eram. Duas, já casadas, moram em Anápolis. A mais nova sofre doença de criança. Nunca pronunciam o nome do mal, epilepsia. Depois de uma febre caiu, revirou os olhos e babou. Ao imperador César o que é de César, e ao nosso tio Josafá, Eunice. Ela prefere a cidade, escamoteia o casamento que acabou há anos, se mantém nele apenas por causa da filha doente, ou por preguiça de encaminhar uma separação. E nenhum dá o passo, nem ata ou desata. Existem as filhas, a casa em ruínas, as tralhas inúteis, as queixas veladas de Eunice, que só findarão com o último e mortal suspiro.

Esaú e Jacó

Ninguém se aproxima do avô com sincera compaixão, talvez apenas Ismael. O que sente Tereza Araújo é difícil adivinhar, porque nela se misturaram rancor, ternura, medo e repulsa, ao longo dos anos. Os dois rapazes, Esaú e Jacó, promovidos a enfermeiros, embora só tenham experiência com as bicheiras dos cavalos, olham a nudez do corpo, tomados de receios. As mãos tocam a pele, espalham óleos, alongam músculos. Nada mais se resguarda. A fragilidade que o poder recobria se expõe. As escaras de Raimundo Caetano escorrem pus, exalam cheiro de peixe podre, das traíras e curimatãs que morrem na lama do açude, nos anos de seca. Cheiro pestilento de carniça, perfume agridoce entrando pelas narinas das pessoas, atravessa quartos, corredores e salas; o vento carrega para longe, ninguém escapa de senti-lo, de receber a mensagem de adeus.

As filhas de amor incondicional demoram pouco tempo junto do pai. De suas bocas não sai uma palavra de consolo, de suas mãos nenhum afago. Correm para os trabalhos domésticos, café, almoço e jantar. Mas não se pode dizer desses filhos e filhas que não amam o pai com devoção, a mesma que se deve aos santos a quem se reza o eu pecador me confesso a Deus Todo-Poderoso. Filhas submissas, devotas à efígie de um homem que elas pouco conheceram. Partiram cedo de casa, mas continuaram gravitando em torno do sol de suas órbitas, tímidas e conformadas. As pobrezinhas sentem-se pouco à vontade na presença desse pai gordo e moreno, de voz gemente e sem mando. O homem para quem acenderam velas na infância congelou-se num retrato da sala. Este que se lamenta e geme é um desconhecido. Elas demoram cinco minutos ao seu lado, e fogem correndo. Atravessam corredores e salas repletas de fotos mal iluminadas. Lá está ele sustentando um cavalo pelas rédeas, ou de pernas cruzadas numa cadeira de couro, os cabelos pretos, o bigode fino, um revólver pendendo da cintura. Ou ainda ao lado de um amigo, segurando um rifle na mão, e sob os pés uma onça morta.

Contemplando Raimundo Caetano em agonia, não conseguem recuperar a imagem fotografada. Nem suportam vê-lo defecando e urinando, expondo mijo e merda aos olhares. O homem de barriga cheia de gases, que solta peidos e arrotos sem se desculpar, é um estranho. Deve partir com urgência, libertando os filhos e parentes da angústia de presenciar sua morte.

Leio trechos do Livro de Jó, e duvido se o avô me escuta. Talvez não ouça Ismael cantando, o corpo debruçado sobre ele, boca encostada em seu ouvido. Ismael demora ao pé da cama, segura as mãos do enfermo entre as suas. Veio de longe, na esperança de que as mãos pudessem abençoá-lo.

Ambivalentes, os da família também esperam que Raimundo Caetano nunca morra. Junto com ele enterraremos a Galileia e parte da nossa história. Planetas sem órbita, cometas em colisão, vagamos pela casa arruinada. Natan pensa em interná-lo num hospital, para que se mantenha vivo. Rejeito a vontade do tio, a hora de Raimundo chegou. Minha decisão ganha fôlego. O avô não abandona o lugar onde nasceu, nem o túmulo que construiu.

Saio de junto dele, caminho pela casa. Olho as mulheres ocupadas no fabrico de redes, converso com Maria Raquel, que age como se o marido não estivesse morrendo a dez passos de onde costura. Na cozinha, passo um boletim médico para as tias. Percebo ansiedade nas vozes, cobram que eu informe quanto tempo resta de vida ao enfermo. Impossível prever, falo com superioridade; as tias se agitam, oferecem café, bolos e pedaços de queijo. Eu aceito. Descubro panelas, pergunto o que tanto cozinham. Elas detalham os preparos de carnes, legumes e sobremesas. Nada interfere no ritmo da fábrica. A produção de quitutes não cessa, todos se agarram à vida, engordando para não morrer.

Retorno ao quarto do avô, uma sala transformada em enfermaria, observatório de onde ele controla o movimento da casa, respira os cheiros da cozinha, ouve o pedalar das máquinas e o riso que, vez por outra, soltam as costureiras, para depois reprimir-se em mudez. Sento-me e Maria Raquel já me chama, pede que fale de Marília e Pedro. Com quem parecem? São branquinhos ou morenos como ela? Ah, vó, nem sei dizer! Não são louros como Davi, que entra comendo goiaba, o computador na outra mão; fala que escreve para mim, é sério, uma carta-testamento. Ri. A nossa conversa não anima Raquel. Davi pergunta pelo avô, quase não esteve com ele, não aprecia o espetáculo da morte. Isso é coisa para românticos e simbolistas, e médicos carniceiros como eu. Beija a avó e se manda, nem escuta o que ela diz sobre coração puro, alma transparente, beleza e talento. Dúzias de adjetivos jogados ao primo, de graça, repetidos como a fala dos papagaios.

Esaú e Jacó me chamam para o curativo. Tento desbridar as escaras, remover os tecidos podres. Desisto. A lesão é extensa; os recursos, precários. Faço o melhor que posso, lavo a ferida, removo o pus, ensino aos rapazes como proceder. O mau cheiro diminui. Raimundo Caetano fica exausto, respira mal, temo que morra. Os rapazes se amedrontam. Se o avô morresse agora, seria bom para ele, melhor para todos nós. Afasto-me da cama enquanto Jacó e Esaú enxugam o doente. Viro-me para trás e encontro o rosto de Ismael. Seus olhos me pedem socorro. Penso que ele vem me abraçar, mas sai correndo do quarto.

Descalço as luvas e jogo-as no balde de lixo. Retiro o avental improvisado com um lençol. Quero fumar, coisa que não faço desde os tempos de faculdade. De onde nasceu a lembrança do vício?

Sento numa cadeira e escuto um grito do avô. Todos se agitam, pois nunca mais esperávamos ouvir essa voz poderosa, com a força do mando.

— Desculpe, avô! Juro que não vi!

Alguém esqueceu a História Sagrada na cadeira. Não reparei nela e sentei em cima. Desculpo-me, novamente; garanto que o tesouro não estragou. O que significa o meu lapso? O avô olha para mim, condena minha falta. Leio em voz alta as palavras que nos marcaram a fogo. Folheio o Livro de trás para a frente, um costume antigo. Retorno ao começo, à gênese do sertão, quando as primeiras famílias chegaram ao planalto, tangendo os rebanhos e brigando pela posse da terra. O avô me escuta e suspira.

Elias

Se na Galileia existisse campo de pouso, Elias chegaria de avião. Quase não o reconheci, sentado na roda dos parentes. Usava bigode e a barriga crescera bastante desde a última vez que nos encontramos. A esposa entrou para o quarto sem nos cumprimentar, e os dois filhos pequenos sentaram ao lado do pai. Quatro gerações da parentela Rego Castro formavam um conselho de homens em volta do pajé Raimundo Caetano, que teimava em morrer sem cuidados médicos. Nem mesmo um soro eu consegui instalar em suas veias, para dar a impressão de que algum tratamento era feito.

Desde a chegada à Galileia, Ismael e eu assumimos os cuidados do avô. Embora não existissem chances de cura, eu percebia melhoras, que atribuí à nossa presença. Raimundo Caetano amava Ismael, como se ele representasse os dois filhos que arrancara de Tereza Araújo e dera para estranhos criar. Após noites maldormidas, pedimos a Esaú e Jacó que voltassem ao posto de enfermeiros, e saímos para um passeio ligeiro. Elias nos acompanhou até o açude, o lugar preferido por todos nós.

A Galileia reflete a doença do avô. A mesma infecção que destrói sua carne parece arruinar a terra. O mato invade as plantações, as cercas e os currais tombam.

— Quais são os planos de tio Natan pra fazenda?

Faço a pergunta, mas Elias não responde. Talvez prefira não conversar sobre os negócios do pai. Ele puxou à estirpe morena dos parentes, é levemente calvo, fala manso e veste-se com elegância. Lembra um investidor da Bolsa de Valores de São Paulo, passeando no meio de roçados. Mal concebo a imagem do rapazinho que assediava as cabras, em brincadeiras de homem e mulher. Sei que renega o passado erótico, embora tio Josafá garanta que ainda procura as putas de Arneirós, por nostalgia ou para não esquecer o cheiro dos lençóis sujos em que transou a primeira vez.

É difícil recompor o mapa dos lugares e as feições das pessoas com quem eu tinha convivência.

— Mudou muito, desde que saí daqui.

— Sem dúvida, mudou. Pra vocês que não vêm à Galileia há muito tempo, a decadência é mais visível. Eu venho com frequência e percebo menos.

— Não é possível fazer nada por isso aqui, primo? Você é um empresário bem-sucedido, sabe das coisas — pergunto como se me preocupasse de verdade com as terras, mas só me inquieto com o futuro da Galileia quando visito o avô. Mal dou as costas, esqueço que ela existe e pouco me importo se chove ou faz sol.

— Sou do ramo da construção civil, não entendo de terras. A agricultura e a pecuária faliram no Nordeste.

O suor molha minha camisa e não sei quanto tempo conseguirei caminhar. Além do calor, sinto uma lassidão por conta da viagem e da noite maldormida. Se eu continuo com o mesmo rosto deplorável que vi no espelho do motel, devo parecer assustador. Cairia bem uma maquiagem; talvez os primos não percebessem os sinais de tédio que a conversa me provoca.

— O solo onde plantavam algodão endureceu.

Vi uma reportagem sobre desertificação, posso soltar comentários inúteis como este e enriquecer nosso papo agrícola. Elias é um rapaz sereno, dá a impressão de que passou por um longo adestramento, até se desfazer dos impulsos agressivos, comuns na família.

— E imaginar que daqui saíam caminhões abarrotados para as fábricas de tecido — arremato com êxito.

Nas férias, eu ganhava dinheiro apanhando algodão. Atirava os capuchos num saco preso em um dos lados do corpo, e quando não podia mais com o fardo, pesava ele numa balança e voltava à apanha. Nunca soube o que achava mais bonito, se as extensas plantações floridas de amarelo ou os campos cobertos de plumagem branca. A floração era uma tarde ensolarada e a colheita um crepúsculo nevado. Memória de neve em meio ao calor e o suor. Nada mais quente do que o algodão fechado nos armazéns, algodão não beneficiado, bruto, pelos e caroços em meio a folhas secas, gravetos e areia. Lã quente provocando coceira na pele e excitação no corpo; convite a deitar e rolar, agarrado a outro corpo, esfregando até apagar o fogo.

Voltava das férias na casa do avô com o rosto queimado de sol e o bolso cheio de dinheiro. Meninos, rapazes, homens maduros e velhos brigavam pelos algodoeiros carregados de capuchos. Cantavam e narravam histórias enquanto as mãos se moviam ávidas, desejando serem dez e não apenas duas. Quando escurecia e o último saco já fora pesado e armazenado, corríamos para o açude em debandada geral, largando as roupas no caminho, as alpercatas e os chapéus. Parecíamos indiada jucá: bando de homens nus à procura das águas que nos aliviariam do calor e da coceira.

— O besouro acabou com o sonho de prosperidade do Nordeste — Elias comenta.
— Pior do que praga do Egito.
— Não entendo como pôde acontecer. Tio Salomão jura que os culpados são os americanos. Eles temiam nossa concorrência e trouxeram o besouro pra destruir os algodoais. Quando olhava a destruição, o tio gritava pra todo mundo ouvir que foram os americanos. Ele inventa teorias conspiratórias e ninguém o convence do contrário. Jura que os ingleses roubaram as sementes das seringueiras da Amazônia e plantaram na África. Eu falo que nenhum agente secreto americano trouxe o bicudo para o Nordeste, que os políticos inventaram essa história pra justificar a inépcia no controle da praga. Mas não adianta argumentar. O tio me chama Judas, diz que traí o Brasil, só porque morei nos Estados Unidos. Aponta o dedo

pra mim, querendo me amaldiçoar. É um xenófobo incorrigível. Por sorte, os nossos não ficaram na miséria. Tio Salomão nunca deixou de investir em caprinos, e agora planta mamona, de olho nos biocombustíveis. Meu pai comercia peles e a avó toca o negócio das redes.

Elias esqueceu de mencionar tio Josafá e nossas tias. Também não teve coragem de dizer que o pai dele é um péssimo administrador de terras, que deixou a Galileia arruinar-se. Nem se refere ao avô, como se ele já tivesse morrido.

— E nós, Adonias, somos a geração que largou o campo pra nunca mais voltar.

Ismael, embora estivesse presente à conversa, não falou uma única vez. E também não foi mencionado pelo irmão na lista dos vivos.

Chegamos ao velho açude, uma barragem construída com blocos de pedra. A engenharia de sobrepor blocos de mais de um metro, sem a ajuda de guindastes, continua um mistério para mim. As pedras se unem tão bem que entre elas não passa um filete d'água. O avô garante que foram os escravos os autores da façanha. Eu questiono a presença africana no sertão. Tio Salomão mostra nos livros de sua biblioteca que o número de habitantes de sangue negro, nos Inhamuns, excedia o de habitantes de sangue branco, e que os negros foram importantes para a formação sertaneja. E argumenta:

— Nas senzalas havia alfaiates, costureiras, ferradores, pedreiros, carpinteiros e seleiros. Inventaram que eles não serviam para a pega de bois, mas se enganam. Sei de negros que foram excelentes vaqueiros.

Diz que a moral sertaneja não permitia os deslizes com as negras, porém muitos fazendeiros assumiam a paternidade dos filhos bastardos. Não me atrevo a lembrar que o nosso avô Raimundo Caetano não fez o mesmo com os filhos de Tereza Araújo.

— Temos o sangue mesclado desde a Península Ibérica — continua. — Orgulho-me disso, mas os portugueses teimam em esconder a mistura. Eles não se envergonham de terem sido comerciantes de escravos, mas tentam apagar os sinais da presença negra em Lisboa. Do lado de cá, deitavam e rolavam com as negras, sem qualquer pudor. Na terrinha, Deus nos acuda que é promiscuidade! Herdamos a falsa moral deles, também.

Em nossas conversas repercutem as vozes da família, de pais, tios e avós. Misturam-se as falas, nunca sabemos se alguém sopra em nossos ouvidos o que vamos dizer. É de Elias o texto que ouvimos ou de tio Salomão? Melhor atirar as roupas fora e mergulhar na água. A cena já aconteceu na noite anterior, não vou repeti-la. Conversar sobre o quê?
— E sua mãe, Marina?
Elias não disfarça o incômodo que a pergunta causa.
— Davi sabe responder melhor do que eu.
Sem se desculpar, afasta-se de nós dois e vai embora.
Ainda cultiva o orgulho da família, pelo menos isso não se estragou nele. Ismael olha o irmão que faz questão de ignorá-lo. Despe a camisa e caminha sobre as pedras.

* * *

Marina Carelli Rossi é paulista descendente de italianos. Decidiu fazer a tese de doutorado sobre a presença da família Rego Castro no sertão dos Inhamuns. Formada em sociologia, conheceu um brasilianista americano na Universidade de Berkeley, na Califórnia, dedicado ao estudo de uma outra família, os Feitosa, que dominaram os Inhamuns desde o século XVII até 1930, quando entraram em declínio. Instigada por ele e pela moda de desvendar as famílias ilustres do Brasil, Marina largou o conforto de uma casa de classe média, os pais, os gatos de estimação, o ambiente culto da Universidade de São Paulo, e partiu, munida de gravador, máquina fotográfica, papéis e fitas cassete.
De portas sempre abertas, a casa de Raimundo Caetano e Maria Raquel acolheu-a com curiosidade; deixou-a traba-

lhar livremente, sem reprimir os seus modos de moça liberta, avançados para o mundo sertanejo. Marina falava pelos cotovelos, como dizem que falam todos os italianos. Deslumbrava-se com as cercas de varas, os mandacarus, os papagaios, as cruzes das estradas, os queijos de prensa, os doces de gergelim, o pôr do sol, a lua cheia. Com tantos alumbramentos, encantou-se por Natan, quando o rapaz retornou de uma de suas viagens. Ele encontrou-a instalada na casa dos pais, com lugar fixo à mesa, um quarto de dormir, livros e papéis. Arneirós falava na professora paulista, e que tio Salomão finalmente encontrara um interlocutor à altura dos seus conhecimentos. Foi ele quem forneceu os dados mais importantes sobre a família, abrindo as gavetas e os armários onde escondia seus tesouros. A tese da socióloga justificava o esforço de anos de pesquisa do tio, e o dinheiro gasto comprando livros e papéis velhos, sem valor aparente. As árvores genealógicas dos Rego Castro foram desenroladas diante de um colecionador orgulhoso dos seus achados, e de uma estudante deslumbrada, como se acabasse de avistar as terras do Novo Mundo. Os dois passavam dias e noites conversando, liam em voz alta, discordavam em vários pontos de vista, mas possuíam em comum o gosto pela pesquisa histórica e pelas ideias revolucionárias, desde que não ferissem o nacionalismo do tio. Entre eles surgiu uma amizade sincera. Marina surpreendia-se com o desapego de tio Salomão, e de todos os Rego Castro, que a receberam em suas casas com simpatia, durante muito tempo, mais do que qualquer visitante pudesse esperar.

  Os avós imaginaram que tio Salomão finalmente encontrara a mulher que o faria renunciar ao celibato. Ele passou a vestir-se com mais esmero, usava perfumes de manhã, de tarde e de noite, descuidou dos plantios, das criações de cabras, e era visto revirando papéis atrás de informações que pudessem interessar a Marina. Saíam a cavalo em visitas à parentela, principalmente aos velhos guardiões da memória da família. Certa vez foram surpreendidos por uma chuva e tiveram de pernoitar na casa de um estranho. Contaram que os dois se apresentaram como marido e mulher, e dormiram em redes armadas próximas, num quarto de portas fechadas. Raimundo Caetano insistiu para que o tio pedisse Marina em casamento. Ela riu quando soube a proposta do avô, e num tom debochado respondeu que nada acontecera entre eles, Salomão não passava de um amigo, nunca o enxergara como homem capaz de tocar o seu corpo. O comentário ofendeu nosso tio. A partir dessa injúria diminuiu o empenho em servir a moça, ausentou-se mais vezes da Galileia e viveu a maior parte do tempo em Arneirós. Entregou a chave da biblioteca à ingrata, deixando que vasculhasse seus guardados. Nunca mais pronunciou o nome Marina, nem fez qualquer alusão a sua pessoa. O mais iluminado dos Rego Castro agia igual a um parente ignorante, quando ofendido. Cortou um dedo, o que significava que Marina já não existia para ele.

As mágoas campeavam soltas quando Natan retornou de viagem ao Maranhão. Olhou Marina e desejou-a para si, do mesmo modo que desejava uma pele de onça. Sabia que não era igual às moças de Arneirós, nem a Maria Rodrigues. Mesmo assim resolveu possuí-la. Tornou-se mais decidido quando soube a ofensa sofrida pelo irmão. Sem recursos da palavra, nem livros raros com que seduzi-la, usou os encantos testados com outras mulheres. Assediou Marina, ofereceu-se para acompanhá-la nas viagens de pesquisa, fingiu conhecer detalhes dos Rego Castro que ninguém revelava, e numa cartada perigosa sugeriu que experimentasse um dos homens da família. Dessa maneira, teria mais conhecimentos para escrever sua tese. Marina riu da proposta, olhou o rapaz atrevido e nunca mais deixou de pensar nele. Numa festa em que dançavam, Natan apertou-a entre os braços e sussurrou besteiras no seu ouvido. Quando voltavam de madrugada, retardaram a marcha dos cavalos e se beijaram. Marina escreveu ao orientador, narrando a experiência. Ele aconselhou-a a seguir em frente. A opinião revelou-se desnecessária. Ela já se perdera de amores pelo exemplar viril dos Rego Castro, gastando metade do estoque de fitas cassete em entrevistas que nunca foram transcritas para a tese de doutorado.

Salomão assistia em silêncio, fingindo uma indiferença que lhe custou mais de dez quilos do reduzido peso. Mortificava-se pelo fracasso amoroso com jejuns e vigílias de leituras. Acreditava que as vozes dos livros soariam mais fortes que os apelos do irmão, e que o fogo erótico dos amantes se apagaria em breve. Escreveu numa carta que o amor nunca envelhece se busca a poesia, a música e o conhecimento. Mas não teve coragem de entregá-la. Nem esta e nem mais uma centena de outras que escondia nos labirintos da biblioteca. Não contendo a revolta, jurou aos pais que se vingaria de Natan, o que destoava de seu modo de ser.

Uma gravidez abreviou o desfecho do romance. Natan e Marina se casaram e pouco tempo depois nasceu Elias. Antes que a criança completasse um ano, Natan engravidou a mulher novamente. O casamento desfez-se em brigas e Marina foi embora. Natan manteve Elias refém, esperando que a mulher se arrependesse e voltasse. Mas ela nunca mais voltou como esposa, apenas em passeios e férias. O segundo filho do casal nasceu em São Paulo, longe da Galileia e da parentela Rego Castro. Foi batizado com o nome Davi, a pedido do avô Raimundo Caetano. Tio Salomão olhava o menino branco e louro de um jeito estranho. Sentia apego por ele e uma ternura que não demonstrava com nenhum outro sobrinho. Quando vinha de férias à Galileia, Davi ficava em sua casa, e foi nela onde tudo aconteceu.

Daniel

Acordei com a voz de Júlia entoando um bendito. O avô pediu que ela viesse para rezá-lo. O canto ressoava pelos espaços da casa, abalando os nervos das pessoas. Senti-me fora do mundo real. Depois do passeio com Elias e Ismael, almocei, deitei-me numa rede e não demorei a pegar no sono. Dormi como dormem as pedras, sem sonhos. Quando abri os olhos, não sabia quem eu era nem onde estava. Com algum esforço lembrei meu nome, a viagem, a Galileia, o avô. Depois chegaram as outras lembranças e a consciência do corpo. Mexi os pés, os braços, bocejei alto, sem me importar que ouvissem. Sentia-me alegre, descansado e preguiçoso. Pela ausência de luz no telhado, percebi que anoitecera. Enquanto estive ausente no sono, Júlia instalou-se na casa.

    Ela sempre chegava à boca da noite. Tereza Araújo lhe servia a janta, e nós esperávamos na sala. Júlia comia devagar, mastigando cada caroço de arroz como se fossem as palavras das histórias que contava. As pessoas mais velhas sentavam em cadeiras e as crianças ocupavam o chão, ansiosas que ela terminasse de comer. Até nossa avó Raquel largava seus afazeres para escutar Júlia. Todos na Galileia gostavam dela e se inquietavam quando demorava nas viagens. Temiam os perigos das estradas, os lobos-guarás, os cachorros doidos, ciganos, bandoleiros e lobisomens. Tio Josafá apostava que Júlia não temia essas assombrações e enfrentava qualquer bandido. Quando havia na fazenda cavalos difíceis de adestrar, que homem nenhum montava, chamavam Júlia. Ela conversava no ouvido do animal, punha a cela e saía a galope. Meu avô dizia que ela enfeitiçava os bichos com palavras de encantamento.

Fazia tempo que eu não via Júlia. Sua voz acordou lembranças de quando eu era menino.

— Vocês querem ouvir histórias?

Odiava a pergunta. Por qual outro motivo estaríamos ali esperando, enquanto ela enchia a barriga na cozinha?

— E quem disse que eu sei contar histórias?

Eu me impacientava, olhava para o avô.

— Adonias, se acalme!

Em seguida ao prólogo, vinham os contos. Havia exemplos, histórias religiosas, de encantamento, de animais, de adivinhação e morte. No fim da noite, para amedrontar nosso sono, ela contava em voz grave os acontecidos com demônios e almas penadas. Júlia parecia um baú sem fundo, não esgotava nunca; emendava uma história noutra, como se fosse uma Sherazade sertaneja. E mais tarde, quando dormíamos inquietos, desvendava a sorte das pessoas adultas no baralho e nas linhas da mão.

Júlia sacudia ramos de erva e dançava em volta do enfermo. O avô desejava morrer, mas algo o retinha preso à vida. Ela cochichava no ouvido dele que a prisão era a Galileia. O avô não se dispunha a deixá-la, amava tanto aquele pedaço de terra que construíra um túmulo, onde imaginava continuar morando. Júlia convencia Raimundo Caetano a ir embora, a deixar essa vida de sofrimentos. Valia-se de cantos e rezas para despachar o doente. Do quarto onde estava deitado eu ouvia tudo. As casas de telhado alto e paredes divisórias abertas não escondem segredos. Ouvem-se os menores sussurros e gemidos. Levantei-me. E se eu fosse até Júlia e bradasse contra a ignorância e o obscurantismo? Melhor deixar o avô entregue à benzedura e continuar na rede, rememorando histórias. Os anos de formação médica não me garantiam que o meu conhecimento fosse único e verdadeiro.

Muitas das narrativas de Júlia eu contava a Pedro e Marília. De outras, lembrava apenas fragmentos, corpos sem pé nem cabeça. Um mistério cercava a vida de Júlia, um segredo que mexia com a nossa imaginação. Ele se escondia no fundo de um oceano, como na história do Reino das Águas

Finas. Um gigante cruel mantém a princesa cativa. Só existe um modo de libertá-la: matando o gigante. Mas ninguém consegue fazer isso, porque ele não diz o lugar onde escondeu sua vida. A princesa usa ardis, faz promessas amorosas e enternece o algoz. Ele revela o segredo à moça, e ela, ao rapaz que a ama e havia prometido salvá-la. Dentro do mar existe uma pedra, dentro da pedra uma gaiola, na gaiola uma pomba, nas entranhas da pomba um ovo, no ovo uma vela acesa. Se a vela for apagada! Basta um sopro. O que é um sopro? Quase nada. O rapaz socorre-se dos peixes. Eles acham a pedra e a levam até a praia. Depois ele se vale dos carneiros. Eles quebram a pedra dando cabeçadas. Quando o rapaz abre a gaiola, a pomba voa. Os gaviões perseguem a pomba, e a trazem prisioneira. Com a vida ameaçada, o gigante geme e estrebucha. A pomba se agita entre as mãos do rapaz. Ele corta a cabeça do pássaro, abre suas entranhas e retira o ovo. A vela é pequenininha, a chama quase nada. Basta um sopro do nariz. O avô teima em continuar vivo. Se Júlia nos distrai com histórias até o amanhecer, a morte se adia. Fica para depois o desenlace que fechará a boca do avô, as portas da casa e nossos olhos e ouvidos.

Por que motivo Júlia se ocupa com o ofício da morte? Não basta contar histórias? Ela também gosta de ouvir as histórias dos livros. Eu ganhava presentes se lesse a Escritura Sagrada. Nossos papéis se invertiam.
— Leia a Casta Susana.
— Por que você mesma não faz isso? Meu avô garantiu que você sabe ler.
— Leia!
Pedia sempre o mesmo relato do profeta Daniel.

"Havia um homem que morava na Babilônia chamado Joaquim. Ele havia desposado uma mulher chamada Susana, filha de Helcias, muito bela e temente a Deus."

Pelo meio da narrativa, Júlia chorava. As palavras escritas eram as mesmas, e o pranto de Júlia igual. Susana passeia entre as árvores do jardim de sua casa. Sente calor e deseja banhar-se. Dois velhos juízes a espreitam e desejam possuí-la. Escondem-se entre as folhagens. Meninas trazem óleos e perfumes para o banho da senhora. Depois saem e fecham o portão do jardim. Sozinha, a bela mulher torna-se uma presa fácil. Os homens a abordam. Se aceitar entregar-se a eles, nada dirão contra ela. Se resistir, dirão que a surpreenderam nos braços de um amante. Será julgada e morta. Susana pondera. Melhor ser inocente aos olhos de Deus que aos olhos dos homens. Grita. Correm o marido, os filhos, os pais, os criados. Os juízes juram que encontraram Susana deitada com um jovem, e que ele fugiu ligeiro. Susana nega chorando. Júlia chora mais alto. Modifico a entonação da leitura, baixo a voz. Júlia grita e puxa os cabelos.

"Enquanto a levam para fora, a fim de ser executada, suscitou Deus o espírito santo de um jovem adolescente, chamado Daniel, o qual clamou em alta voz: Eu sou inocente do sangue dessa mulher!"

O futuro profeta pede que separem os dois anciãos, a quem irá julgar. Chama o primeiro e pergunta debaixo de que árvore ele vira Susana e o rapaz brincando. E ele responde que debaixo de um lentisco. Depois chama o segundo juiz e faz a mesma pergunta. Debaixo de um carvalho é a resposta. Os familiares exultam com a discrepância dos velhos, prova da inocência de Susana e da falsidade dos juízes. Daniel sentencia:

"Raça de Canaã e não de Judá, a beleza te extraviou e o desejo perverteu o teu coração. Assim procedíeis com as filhas de Israel, e elas, por medo, se entretinham convosco. Mas uma filha de Judá não se submeteu à vossa iniquidade."

Tereza Araújo, que sofre uma dor semelhante à de muitas mulheres, um dia me revelou que Júlia também fora acusada de trair o marido, e por conta de um falso testemunho perdera a guarda de suas duas filhas. O pai arrancou as meninas dos braços da mãe, e ela nunca mais as viu. Depois disso, vaga pelas casas contando histórias, dá recados, benze os doentes, encomenda os mortos e ajuda a morrer os que passaram do tempo, como o avô Raimundo Caetano.

— Terminou? — perguntei, entrando na sala.

Júlia correu envergonhada, sem falar comigo. Não sabia que um médico espreitava no quarto ao lado. O avô parecia melhor. Eu também me sentia outro, depois das horas de sono. De noite ouviríamos histórias. O antigo costume de sentar em volta de um enfermo, enquanto a morte não chegava.

Ismael

Não escondo as intenções. O desejo de voltar ao local onde pastavam as ovelhas do avô e onde feri o pé quando criança é pretexto para ficar sozinho ao lado de Ismael, conversar com ele longe dos primos e tios. As veredas abertas pelos rebanhos que não mais existem se bifurcam em outras veredas onde me desoriento. Ismael não esqueceu nenhum acidente do caminho, uma pedra, uma árvore, um leito seco de riacho. Caminha ligeiro e me deixa para trás. Quando não contém a impaciência de rever os lugares, corre. Grito por ele. Temo perder-me na mata cerrada, que o avô preservou contra a vontade dos filhos.

A ladainha de nomes de árvores e pássaros insinua-se no jorro de lembranças. Não permito que se transforme em balbucio. Reviro os pensamentos, estou mais leve que na véspera. Depois do primeiro dia na Galileia, o pânico cedeu. Sinto gosto em comer, em respirar, em dormir. Foi sempre assim, em todas as férias. O desejo quase erótico de retornar ao lugar onde nasci se misturava com um medo inexplicável de morte. Vinha empurrado por meus pais, e até me acostumar à casa, ao silêncio da Galileia, vivia horas de angústia. Chorava pelos cantos, pensava em voltar. Depois, não queria mais sair dali. Esquecia a escola, os irmãos, o cinema, as luzes da cidade.

— Ismael, espere por mim!
— Corra, molenga!
— Estou correndo, mas é impossível alcançar você!
— Corra, Adonias, corra!

Ismael corre, desaparece de minha vista. Também corro, corro muito, porém Ismael é mais veloz, sempre foi melhor do que eu nos cem metros rasos, nos cem metros com barreiras. Mentira, nem sabíamos que provas eram essas, apenas corríamos feito cabritos. Devo encontrá-lo caído, fingindo-se de morto. Ele se fazia de morto para nos pregar susto. É um farsante, um mentiroso.

 Não sei que vereda tomar. Tomo a direita, não vejo o primo e retorno. Tomo a esquerda. Os espinhos de jurema cortam meus braços. Olho para cima, não tenho a menor noção de onde me encontro. Começo a sentir-me alegre, apesar da doença do avô.

— Ismael, seu porra! Cadê você?

Relembro a tarde em que machuquei o pé. Avanço por outro caminho, que dá num leito de riacho coberto de vegetação. Os nomes das árvores voltam à memória. Se Ismael não aparecer, seguirei o riacho. Ele passa junto da casa do avô.

 Descanso. Quando fico ansioso, não enxergo nada, os sentidos se fecham para o mundo. Agora sei onde estou e aonde posso ir. Os olhos se reabrem, as narinas aspiram cheiros de flores, ouço aqui e acolá um canto de passarinho. O lugar é bonito, um santuário de ninfas. Grito alto, dou pulos, sacudo as pernas e os braços feito um louco. Depois de uma longa ausência, meu corpo responde, acorda quase feliz. Grito mais alto, rodopio, tiro a camisa, descalço os sapatos, pareço estar num transe xamânico.

 Ismael pula de cima de uma árvore, bem na minha frente.

— Você continua louco, Adonias!

— E você, um palhaço que gosta de pregar susto na gente.

Esqueço que não temos doze anos. Apanho os sapatos, a camisa, sento na areia do riacho. Ismael também senta, de frente para mim.

— Você ainda tem medo de andar sozinho na mata?

— E você ainda tem medo de assombração?

Nenhum dos dois responde.

— E a Macambira?

— Fica aqui perto. Quer ir agora?

— Não, vamos descansar um pouco.

Enxugo o suor do rosto com a camisa. Se fosse possível ter a resposta de todas as perguntas, sem quebrar o silêncio, sem pronunciar uma única palavra... Mas nós dois precisamos falar, consumir os segredos que se guardaram nesses anos em que não nos vimos. Por onde começar?

— Adonias, o que você achou do avô?

— Achei que ele está pronto para morrer. Já construiu até o túmulo. E também acho que ele fez uma boa escolha, morrer em casa. Difícil é convencer os outros de que ele escolheu certo.

— Ele está sofrendo?

— Está. A lucidez é um sofrimento.

— Não tem como evitar?

— Ele não quer perder a consciência. Deseja saber até o último instante como é morrer.

— Que frieza a sua, Adonias!

— Você sabe que não, Ismael. Conheço o avô, ele pertence a outro tempo, pensa diferente da gente.

— Vamos mudar de assunto.

— Mude. Fale do que quiser.

— Porra, você é duro.

— Sou não, já disse.

Lutamos o primeiro round, joguei Ismael contra as cordas e ele pediu a toalha. Não seria mais justo encerrar a luta? Quem sou eu para deliberar sobre as pendências da família? Ouvimos um trinado de pássaro, o sinal do segundo round. Atracamo-nos de novo.

— Gosto do calor daqui.

— Como se sente, depois do encontro com a família?

— Ótimo.

— Pensa em voltar pra Noruega?

Ismael fica um tempo em silêncio. Apanha um galho seco e risca a areia. Deixo o silêncio rolar. Estamos na sombra de uma oiticica, ocultos por folhas e ramagens. Sopra um vento brando. Recosto-me num tronco. Será de marmeleiro? Não tem a menor importância saber. Fecho os olhos, cochilo.

— Preciso ver minha filha. Perdi sua guarda, mas não consigo ficar longe dela.

Lembrei agora, Ismael tem uma filha.

— Não sei ainda pra onde vou. Na verdade, eu continuo sem lugar. Não tenho o que fazer no Maranhão, no meio dos kanela. Saí de lá pequeno, e só voltei porque me expulsaram daqui. Afora os vínculos de sangue e as marcas no corpo, nada me liga a eles.

Ismael também se recostou numa árvore. Dou um cochilo ligeiro, daqueles que duram segundos, e parece que dormimos horas.

— Quando parti da Galileia, fiquei algum tempo em Barra do Corda. Você não imagina o que é voltar para o meio de uma gente que não é mais a sua, que não o reconhece, e você não sente nada por ela, a não ser desprezo. Foi um estágio para aprender a fumar maconha e beber cachaça. Em menos de um ano eu já estava na fronteira do Brasil com a Colômbia, metido num garimpo clandestino. Apanhei malária e voltei pros kanela. Um casal de catequistas norueguesas, de passagem pelo Maranhão, levou-me pra morar com eles. Demorei a me acostumar naquele mundo diferente do nosso. Em certas épocas do ano, o sol aparece às dez horas e às quatro da tarde já está novamente escuro. Eu mantinha as luzes da casa sempre acesas, pra suportar a falta de claridade. Morria de saudades do avô, da Galileia, do sol dos Inhamuns. O povo da Noruega sobreviveu porque se acostumou ao frio. Eu não me acostumei, aguentei na marra só porque não me queriam aqui. Ainda não me querem. Também nem penso em ficar na Galileia. Sou orgulhoso. Viveria de que jeito, costurando redes? A Galileia acabou e os tios fingem que continua próspera. A Noruega, sim, é um país rico e desenvolvido.

Imaginei que a conversa findara. Mas Ismael voltou a falar, com a voz embargada, beirando o pranto.

— Eu gosto mesmo é daqui. Se fosse possível ficar, eu ficava. Botava o orgulho entre as pernas e começava uma vida nova.

— E seu casamento?

— Qual deles? Tive dois. Com vinte anos conheci uma alemã com o dobro da minha idade. Larguei tudo, me mandei com ela para Gibraltar, casamos e fomos morar na Espanha. Durou pouco tempo o romance. Fui expulso do país, acusado de bater na mulher. Voltei para os kanela, e descobri que minha vida ia dar em nada. Aquela gente vive de esmola. Você pensa que fazer artesanato tem algum futuro? Escrevi para a Noruega e o casal que me acolheu mandou minha passagem de volta. Passei um tempo organizado. Trabalhava numa exportadora de salmão, ganhava um salário razoável. Pensava em voltar para os Inhamuns, comprar um pedaço de terra. Aí conheci Nora Kieler, também mais velha do que eu. Acho que prefiro as maduras. Foi amor à primeira vista, sei lá! Conhecemo-nos em Oslo, num barzinho safado. Nora era gorda, de pele branca estragada pelo frio, e gostava de beber. Continua gorda e ainda bebe muito. Ficamos bêbados, fomos pra cama. Não costumo rejeitar mulheres, deito com quem me quiser. Pronto, só foi isso, não dá pra fantasiar uma história romântica. Voltamos pra cama outras vezes, e um dia ela me propôs casar. Aceitei. Por que não aceitaria? Eu não tinha nada a perder. A família de Nora possuía uma fazenda na cidade de Kristiansand, no extremo sul da Noruega, abandonada há bastante tempo. Você não pode imaginar um lugar mais frio. O casal que me adotou não deu uma palavra sobre o casamento. O norueguês é um povo silencioso, não se mete na vida dos outros, como a gente. Casamos e fomos morar na fazenda. Iniciamos uma criação de carneiros e durante três anos tudo corria bem. Bebíamos em casa, e sempre terminávamos em briga. Eu fumava maconha. Quando não estava trabalhando, vivia chapado. Casamento pra mim é só isso, uma convivência insuportável com uma mulher que controla seu tempo e o que você come.

Acho que fiz alguma careta que não agradou a Ismael. Ele atirou um punhado de areia nos meus pés, riu sem graça e parou de falar. Esforcei-me em parecer interessado pela história dele.

— Continue, estou ouvindo.

— Meu vizinho de propriedade reclamou porque minhas ovelhas pastavam num sítio que não me pertencia. Discutimos, não lembro o que disse a ele. Você conhece o meu temperamento, sabe do que sou capaz quando perco a paciência. O caso foi parar na justiça. Ele me acusou de tê-lo agredido com um ancinho. Fui preso e depois absolvido. A questão da terra não se resolveu e nós continuamos brigando. Pouco a pouco, toda a comunidade voltou-se contra mim. Fui preso mais duas vezes, me acusaram de sequestro a mão armada, e de fumar haxixe. No meio dessa confusão, Nora engravidou. Pensei que as coisas fossem melhorar. Nasceu uma menina, Susanne, mas nós discordamos no jeito de educar ela. Eu tentava ensinar alguns costumes daqui, não queria que ela fosse uma norueguesazinha padrão. Num dia em que bebi e fumei acima da conta, dei uns cascudos em Nora. Ela também bateu em mim, mordeu meu ombro. Os canibais somos nós, porém foi ela quem comeu um pedaço de minha carne. Olha só!

Abriu a camisa e mostrou uma cicatriz no ombro, em meio às tatuagens.

— Bater em mulheres na Noruega dá cadeia, mas o meu advogado jurou que eu estava sendo vítima de um complô racista. Ele nunca tinha visto um norueguês permanecer tanto tempo preso sem julgamento. Por que faziam isso com um índio? Fiquei meses numa cela pequena, em Kristiansand, um lugar que mais parece uma geleira. Quando saí, me proibiram de visitar minha filha. Um dia, depois de um porre, fui à procura dela e de Nora, armado com um punhal. Me prenderam, novamente. Desesperado, tentei me matar com uma faca de cozinha, roubada do refeitório da cadeia. Fui julgado, deportado para o Brasil e proibido de voltar à Noruega. Permitiram que eu trouxesse o dinheiro que juntei, mas o que eu quero é rever minha filha. Senão, não me interessa mais viver.

Debruçou a cabeça sobre os joelhos. Acreditei em sua história, embora aposte que ele omitiu muitos detalhes. Suas aventuras não se resumem ao casamento com Nora Kieler. Onde o primo arranjou dinheiro? Criando ovelhas? Ele é um

Rego Castro e nasceu com vocação para as façanhas e o perigo. Sou o único com biografia medíocre, resumida em meia página de papel.

Fecho os olhos e lembro o avô. Sou um médico irresponsável, que larga o doente e nem se importa se ele passa bem ou mal. O sol das onze também não me incomoda, apesar do calor. A areia do riacho acaricia meu corpo. Desejo continuar por ali mesmo, sem medir as horas.

Mantenho os olhos fechados e se Ismael não me perguntar nada continuarei em silêncio. Estranho percurso o meu. Só se passaram três dias? Minha vida do Recife nada tem a ver com a Galileia e o avô morrendo fora de um hospital. Meus pacientes relatam seus dramas, entre as quatro paredes de um consultório forrado de alcatifa. Ismael tagarela a céu aberto. Entre nós dois, o leito seco de um riacho. O palco de tragédias, diria tio Salomão. A cama onde os homens Rego Castro fodiam escondido, os meninos se iniciavam com as cabras e os rapazes gastavam as mãos em punhetas solitárias, comentaria tio Josafá.

Não quero me ligar nesse mundinho sertanejo. No começo da viagem, olhei nossas figuras. Três vaqueiros desgarrados, cowboys voltando das planícies lunares. Ajusto a cabeça ao tronco da árvore. Não será um ingazeiro? Não tem a menor importância. As costas começam a doer e a bunda procura conforto na areia. As poltronas do consultório são bem melhores. O consultório vai bem, só aceito clientes particulares. Os planos de saúde pagam uma miséria. Preciso conferir os boletos dos cartões de crédito, antes de pagar as contas. Anoto os gastos na agenda. Controlo as despesas de casa, mantenho uma boa reserva na poupança. Sou um investidor temeroso, não corro riscos. Já tomei prejuízo investindo em títulos. Caíram de cotação e perdi metade do que juntava para a compra de um apartamento novo. Joana não se liga em contas, ganha e gasta. Joana, Marília, Pedro. O celular fora de área, máquina inútil no bolso da calça. Vou deixar na mala, enquanto permanecer na Galileia. Galileia. Dormi! Sofro de narcolepsia. Apago quando estou cansado. A pele queimou demais. Esqueci o protetor solar. Esqueci de tudo nessa viagem. Ismael?

Olhando para mim, sentado no mesmo lugar. Não moveu um pé.

— Você continua folgado, Adonias.
— Eu, folgado? Trabalho feito um mouro.
— Onde encosta, dorme.
— É o cansaço.
— Não ouviu uma palavra do que falei.
— Ouvi tudo. Vou comentar o quê? Que você está certo, que é direito bater em mulheres?
— Ninguém me compreende.
— Não aceito violência.
— É fácil falar, Adonias. Você sempre esteve numa posição confortável.
— Eu? Debaixo desse sol e sentado no chão? A propósito, você sabe o nome da árvore onde estou recostado?
— Não se faça de engraçado, Adonias!
— Eu sei o que você quer dizer, que fui criado por pai e mãe e que estudei.
— Foi morar na Inglaterra, era médico, fez curso de especialização, tinha bolsa, sabia que ia voltar pro Brasil. Vivi como imigrante, porque não tinha futuro pra mim em nenhum outro lugar. Você sabe o que é ser imigrante, um brasileiro com cara de índio, as orelhas furadas e a pele do rosto marcada? Sabe não, porque você não viveu assim e nunca conheceu o desprezo das pessoas, nunca viu certos olhares, nem passou por humilhações degradantes. Você era um doutor, morava numa casinha confortável, ao lado da esposa, falava bem o inglês. Eu só falava português, um idioma que ninguém conhece. Aprendi outra língua na marra. E você me olha como se eu fosse um estuprador, um cara que explora a fraqueza das mulheres.
— Não falei nada disso, Ismael! Não invente o que eu não disse! Só falei que não suporto violência, e pronto. Não vivi como imigrante, mas conheço o drama dessa gente. Não sou cego, vejo e sinto as coisas. Baixe o tom, se

quiser falar comigo. Cadê sua ternura por mim, como há poucas horas atrás?

— Desculpe, primo!

— Você é um caso perdido, não se ajeita nunca.

— Desculpe, já falei.

— Na Inglaterra eu tinha amigos paquistaneses, indianos e chineses. Você acha que um inglês faz amizade com um brasileiro só porque ele é médico? Não faz. Conversei com imigrantes de antigas colônias. Eles chegaram pra ficar. Não cobram nada de volta, não pedem indenização pelos anos de colonialismo. Fazem o percurso de seus colonizadores, só que em sentido contrário. Sei exatamente o que você sentiu. Os imigrantes são a subclasse da Europa. Mas ninguém fala nisso diante de um microfone, ninguém assume a exploração e a desvantagem em que vivem os turcos na Alemanha e os africanos na França. Existe um preconceito ocidental em relação ao resto do mundo. A Europa faz questão de ignorar a cultura do Oriente e da América do Sul. Nós somos vistos como os pobres que tiram emprego, ou pior, como aquela mão de obra que aceita fazer o que eles não aceitam. Comigo também era assim, mesmo sendo apenas um estudante de passagem.

Ismael permaneceu calado.

— Nunca vou esquecer uma cena no metrô de Lisboa. Você sabe que os portugueses fizeram questão de apagar a escravidão negra de sua história. Tio Salomão enche a paciência lembrando isso. Não falo do tráfico de negros, porque eles se mantiveram no ramo, até o fim. Estou falando da presença de escravos em solo português, coisa de que se envergonham, não sei por quê. Eles, que mal disfarçam um complexo de inferioridade em relação ao resto da Europa, e se esforçam pra fazer parte da União Europeia, temem essa presença negra, como se ela pudesse revelar a impureza do sangue nacional. Vi um negro entrando no metrô, um rapaz alto, forte, cheio de marcas tribais. As pessoas olhavam para ele com medo, como se fosse atacá-las. As expressões de assombro eram fantásticas, os passageiros se encolhiam nos bancos. O rapaz percebeu e deu murros e chutes nas paredes do trem. Durou pouco, porque ele desceu na primeira estação. Mas durou o bastante para eu compreender o conflito.

Ismael parecia humilhado com o meu sermão. Ele sofria na pele os horrores do preconceito, e eu discursava feito um histérico. Levantei-me, falei que ia embora. Ele rogou que eu ficasse mais um pouco. Há anos não se sentia tão bem, ao lado de um amigo com quem podia conversar. Deixei o tema dos imigrantes para depois.

— Você sabe o que é fechar o peito, Ismael? É o que faço quando venho aqui. Não quero ser devorado.

Ismael se pôs a rir.

— Então, levante, primo! Dê o fora!
— Qual é a graça?
— Você sabe onde sentou?
— Num formigueiro de saúvas, doidas pra me picar.

Ismael gargalhava como um doido.

— Sabe que lugar é esse?

Girei a cabeça, sem compreender.

— Aqui foi assassinada nossa tia Donana. Lembra da história?

Os temores que afastei a duras penas retornaram de vez. No inverno, quando o riacho bota água, o lugar onde sentamos vira um remanso. A folhagem das plantas cresce e se forma um esconderijo. Olhando de fora, ninguém vê nada. A pobre Donana tomava banho, pensando nos umbus que gostava de chupar. Domísio matou-a pelas costas, com uma faca.

Ismael olhou-me com ar diabólico.

— Se tenho o sangue da família, coisa que meu pai Natan rejeita, saí dócil como um cordeiro. Nunca apunhalei ninguém, no máximo dei uns cascudos nas minhas mulheres. Não é verdade, primo?

Percebi com assombro que não compreendia Ismael. Meus sentimentos por ele mudavam a cada revelação que fazia. Decidi não responder à provocação, esquecer o que falava. Ismael foi um companheiro generoso, me socorreu no perigo. Podíamos deixar a Macambira para depois, de preferência para nunca. Calcei os sapatos, levantei-me, vesti a camisa, sacudi a terra das calças. Ismael continuava sentado, em silêncio.

Escutamos um canto de ave.

— Um nhambu!

— Tem certeza?

— Tenho.

Ouvimos um outro, mais perto.

— E esse, agora?

— Uma juriti. Marina gostava de juriti assada na brasa. Eu caçava pra ela.

Nunca escutara Ismael pronunciar o nome de Marina. Eles dois pareciam se odiar. Quando o avô Raimundo trouxe Ismael do Maranhão, Natan já era casado e Elias tinha nascido há pouco tempo.

— Não sabia que você tinha esse desvelo pela esposa de seu pai.

— Não sei... Ela gostava de comer caças e eu, de caçar.

Afastou os olhos de mim.

— O que mais?

— O que mais? Nada.

Sempre fui desligado, passava a maior parte do tempo na biblioteca do avô. Não prestava atenção nos acontecimentos da fazenda, mas lembrava agora que Ismael acompanhava Marina nas caçadas, quando ela vinha de férias com o filho Davi, depois que se separou de tio Natan. Ismael já era rapaz.

— Os meninos seguiam vocês dois, quando caçavam?

— Não. Elias não saía de junto do pai, e Davi era como você, nunca se interessou por caçadas.

— E vocês se embrenhavam nas matas, dando tiros para cima?

Ismael não percebeu a malícia.

— Para cima não, ninguém era besta de gastar munição à toa.

— Tio Natan não se importava com os passeios de vocês?

— Marina não era mais casada com ele. Mesmo assim, ela só me chamava pra caçar quando Natan viajava.

Ismael sofreu um leve tremor no corpo, igual aos peixes quando mordem a isca e não conseguem livrar-se do anzol.

— E vocês vinham muito aqui?

Ismael respondeu firme, não tinha como recuar.

— Algumas vezes.

— Quando chovia e isso aqui parecia um esconderijo envolto pela mata espessa?

— Também.

Terminei o interrogatório. Sentia fome e desejava voltar para casa. Cheguei tão perto do fogo da família que podia me queimar.

— Tento compreender o ódio que Natan, Elias, Davi, os tios e tias nutrem por você. Imagino que o ódio começou depois de sua adoção por Raimundo Caetano, contra a vontade de todos, até mesmo da avó Raquel. Tem a história com Davi, mas você foi apenas um suspeito, o menos condenável de todos nós. Agora conheço o outro motivo do ódio.

Não dei tempo para Ismael defender-se, ataquei sem compaixão.

— Você é um cachorro, que deita com a esposa do pai, a mãe de seus irmãos.

Temi estar contaminado do mesmo sentimento irracional da família. Não tinha mais o que falar. Devia partir sem olhar para trás, como Ló e sua esposa.

— Espere! — falou Ismael sem mover-se do canto. — Você ainda não me escutou. Confesso que sofro de uma agonia por sexo. Mas a cadela era Marina, que arrastava um rapazinho sem experiência pra dentro de seu corpo.

Levantou-se e me encarou.

— Cachorro incestuoso! — repeti.

— Por que incestuoso? Ninguém nunca me garantiu que sou filho de Natan.

— Não seja cínico, Ismael, você vive chorando por essa paternidade.

— É possível. Mas sempre me negaram.

— Você me traiu!

— Traí? Por acaso era seu amante, primo?

— Vá se foder, Ismael! Você traiu minha confiança. Eu e o avô fomos os únicos a defendê-lo. Mas você não presta, mesmo. Melhor se continuasse preso na Noruega.

Eu sentia vontade de encher Ismael de porrada. Quis chutá-lo, mordê-lo. Precisava sair de perto dele o mais rápido possível. Com muito esforço pronunciei algumas palavras.

— Chega, vou embora. Não me acompanhe. Eu sei o caminho.

Afastei-me pelo leito seco do riacho, no rumo da casa do avô. Mal dei alguns passos, Ismael gritou:

— Adonias, não se faça de santo! Ninguém presta na família. Pergunte a Davi o que ele sabe de sua mãe Ester! Por que ela foi embora daqui?

Ismael pronunciou o nome de minha mãe sem lavar a boca suja. Mexia em suspeitas sem provas. O sol a prumo na cabeça cegou meus olhos. Procurei com que matá-lo, e só achei uma pedra. Não sei de onde tirei força para arremessá-la, possuía o braço inerte, a pontaria sem prumo. Vi quando ele tombou, sangrando como nossa tia Donana, esfaqueada pelo marido Domísio.

— Ismael! — gritei, e corri para junto dele.

Esquecido de que era médico, eu o sacudia feito um louco, sem me lembrar de verificar seu pulso, ou escutar as batidas do coração. Apertava a cabeça dele contra meu peito, molhando a camisa de sangue. Mas o primo não respondeu e eu larguei-o na areia, onde ele se esvaía de gozo com Marina, jorrando esperma pela ferida do sexo.

Corri entre os lajedos fumegantes. Refazia um trajeto criminoso de mais de duzentos anos. Igual a Domísio, eu buscava quem me escondesse.

O avô lia a História Sagrada. Suas palavras pareciam sentenças.

"Terei de ocultar-me longe de tua face e serei um errante fugitivo sobre a terra."

* * *

Os lajedos queimam as solas dos meus pés. Os tênis de nada servem; melhor seria calçar botas de couro. Talvez eu não tombasse à direita e à esquerda, igual a câmera nas mãos de um cinegrafista inexperiente, deixando vazar a luz para a película, cegando os espectadores de luminosidade. Por que retornei à Galileia? Repito a pergunta a cada passo. Por que retornei à Galileia? Por que retornamos aos lugares que nos expulsam como aborto indesejado? O que vim fazer aqui? Apenas cometer o crime que a família premeditou há anos. Ser o Caim eleito, o que desfere a pedrada contra o irmão. Matei por inveja, um passo, por inveja, dois passos, por inveja, três passos. Caio novamente. Nós três fomos embora: primeiro Davi, segundo eu, terceiro Ismael. Ninguém acertou nosso encontro na Galileia, mas ele parece traçado. No jogo do baralho traçam as cartas, cortam, dá o naipe de espadas. O valete cai morto pelo rei, na primeira rodada. Embaralham as cartas novamente. Meu juízo se embaralha. Preciso compreender a estratégia do jogo, senão enlouqueço. Embaralham as cartas, cortam no naipe de ouros. O valete de cabelos encaracolados lembra Davi sangrando debaixo do sol. As pernas finas correndo; os pés descalços deixando marcas vermelhas nos lajedos. Para onde corre meu primo vitimado? Para onde eu corro assassino? Os homens da família assistem à corrida, um automóvel derrapando em curvas dá três cambalhotas, cai. Derrapo. As lajes são escorregadias mesmo quando não chove. Caio. A família em seus observatórios de portas e janelas, olhando o primo correr despido, os genitais expostos sob a camisa branca que mal esconde. Esconder o quê? A camisa suja de sangue atrás. Minha camisa suja de sangue na frente, na pala, no colarinho, nas mangas, nos punhos.

Mas não é apenas aqui na Galileia que esses crimes acontecem. Não é apenas na Galileia, não é apenas na Galileia, não é apenas na Galileia. Aonde as minhas pernas me levarem, tropeçando sobre lajedos, afundando em areia, em qualquer metrópole ou vila, no deserto mais longe, eu sei que ocorrem massacres e carnificinas. Me vem de novo o filósofo romeno. Porra! A cabeça não para! Não é apenas aqui, na Galileia, nesse limitado espaço de terra, que as pessoas se odeiam. Em qualquer lugar do planeta as pessoas se odeiam, mas nem sempre estão à altura de seu ódio. Nós, da família, nos elevamos acima da mediocridade que nos cerca, e nosso ódio aflora em busca da tragédia. Por isso matei Ismael. Está mais do que claro, e mais do que justificado. Matei-o em busca de um instante de poesia, para que ele não se perdesse em movimentos repetidos e desconexos. Salvei-o de tornar-se feio. Eu sei reproduzir a beleza sem me perder em gestos falsos e Davi conhece as entranhas da música. Ismael alcançou um instante de grandeza que nunca mais se repetirá. É isso. Tudo é tão lógico, mas não consigo parar de chorar. Ismael, eu nunca vou esquecer a beleza do seu rosto espantado, olhando para mim. Sua vida turbulenta justificou-se pela majestade do sacrifício, pela imobilidade com que aguardou o martírio, debaixo da árvore. Você seria incapaz de repetir o instante absoluto, por mais pedras que eu arremessasse. Gostaria de ler seus pensamentos, mas não posso acessar a memória de um morto. Ismael, melhor que eu o tenha matado agora, antes de entrarmos numa ordem de ferocidade que se tornou monótona. Não sei o que virá em seguida à sua morte, mas reconheça que tive coragem de tomar a dianteira. Eu, o mais imbecil de todos nós.

Me perdoe, primo querido; estou chorando. Depois de viver em outras sociedades, de reconhecer o esforço que elas fizeram para se diferenciar do que nós somos, voltamos à barbárie e praticamos os mesmos atos de sempre. Por quê? Me responda! Estou desorientado, e só consigo me guiar pelo raciocínio. Meu coração trancou-se, não sinto nada. Há pouco você afirmou que sou duro. O que esperava que brotasse desse chão? Foi para matá-lo que você me carregou nos braços, quando furei o pé? Ismael, acabe com a brincadeira de se fingir de morto! Levante, vamos rir disso tudo, do mesmo jeito que choramos na noite passada. Vou retornar ao ponto em que o deixei caído. O ferimento em sua testa é uma pequena marca que nem se percebe. Fui eu que o feri, ou foi você quem me feriu?

  Não tenho coragem de confessar o que você adivinhou. Nem a você morto eu falo. Não me peça. Que se dane, Ismael! Você recebeu o que sempre pediu, o que merecia. Reúno os tios e digo a eles que você está morto. Que caiu de uma árvore e fraturou o crânio. Se quiser me tornar respeitado, digo a verdade. Matei e pronto. Você insultou minha mãe e ainda confessou a nojeira com Davi. O verdadeiro culpado pelo sangue de seu irmão Davi finalmente dormirá tranquilo. Entraremos em outra ordem por um tempo, até que algum de nós enlouqueça novamente. Mas você já está morto, o avô também estará morto, e nada dessa desordem fará parte de suas preocupações. Agradeça eu tê-lo poupado de novos confrontos, de uma vida sob ameaças. É horrível viver com a faca encostada no peito. Beije-me, Ismael, você não recusa ninguém. Beije-me do jeito que beijaram seu irmão Davi, antes que o sangrassem como um cordeiro de Páscoa. Um cordeirinho tenro. A nossa família de canibais em volta da mesa de banquete, sofregamente roendo ossinhos, mastigando cartilagens, chupando tutano de tíbias, e fíbulas, e fêmures, e cúbitos.

  Se não parar de pensar, enlouqueço de vez. Preciso rever Davi, exaltar sua santidade, acender uma vela para ele, como fazem todos da família. Davi, o príncipe, o que entrou em Jerusalém embriagado, dançando despido à frente de um cortejo de homens. Eu o vinguei, juro, eu o vinguei. Não foi pelo insulto ao sagrado nome de minha mãe que eu matei Ismael. Não foi. Sou lógico demais para me deixar levar por impulsos. Matei pela mesma razão por que acontecem terremotos. De vez em quando é necessária uma sacudidela, que nossos instintos aproveitam. Depois, tudo volta a ser como antes. Tudo igual. A paisagem conhecida, a casa do avô ao centro, as casas dos tios Natan, Josafá e Salomão em volta, e a sombria Casa-Grande do Umbuzeiro, minha provável sepultura.

João Domísio

Meus passos me levaram à mastaba de tio Salomão, à mesma porta onde o infeliz Domísio bateu, depois do crime. O tio abriu os braços para me receber, mas quando viu o meu aspecto recuou. Avancei porta adentro, sem pedir licença. Era a primeira vez que entrava naquela casa. Antes, nunca tivera coragem de transpor seu batente. Ofuscado pelo sol brilhante de fora, imerso no tom escuro das salas, fiquei cego e nada vi. Senti um cheiro forte de melancia e lembrei-me que estava com fome. Uma voz afetuosa perguntou lá de dentro:

— Quer chupar melancia, sobrinho?
— Quero.

Era tio Josafá.

Sentei numa cadeira, mal conseguindo conter os tremores do corpo. Divisei os primeiros contornos da casa, os móveis, as estantes, os livros, os mapas nas paredes, os retratos antigos. E as figuras móveis dos dois homens.

— Que sangue é esse na camisa? — perguntou tio Salomão.

— Sangrei pelo nariz, tio — falei visivelmente nervoso.

— Ah, você ainda não se curou? É médico e não se trata.

— Sou um desleixado com a saúde. Nisso puxei à família.

Quando era menino, eu sangrava pelo nariz aos menores esforços. Levantava a cabeça para cima, ou enfiava chumaços de algodão queimado para conter o sangramento. Agora, eu precisava de tempo para me refazer. Contava a verdade ou continuava inventando mentiras?

— Posso tirar a camisa?
— Tire, não faça cerimônia.

Despi a camisa e coloquei-a num saco plástico que o tio arranjou. Ele indicou o banheiro e me lavei. No espelho, constatei o estado deplorável em que me encontrava. Voltei à sala, sentei numa cadeira de balanço e olhei o mundo de fora através da porta. Não sentia constrangimento por ficar sem camisa. Costumávamos andar despidos da cintura para cima.

Se esgueirando em meio às estantes, tio Salomão me vigiava. Fingia naturalidade e até comentava alguns livros novos que adquirira.

Tio Josafá trouxe um prato com melancia e estendeu-o para mim. Ele também me tratava com desconfiança, parecendo não acreditar na minha história.

— Sua avó esperou vocês para o almoço.

— Demorei no passeio mais do que imaginava. E o avô, como está?

— No mesmo.

— Eu preciso vê-lo.

— Descanse um pouco. Coma a melancia.

Olhei a fruta vermelha como sangue, no prato branco sobre minhas pernas. Não sei onde arranjava forças para manter a conversa com tio Josafá. Enfiava pedaços de melancia na boca sem saliva, aliviando a fome e a amargura. E Ismael? Estaria morto? Senti um frio paralisante. Até aquele momento vivera um pesadelo. Ao acordar, ao invés de sentir-me aliviado, eu enxergava o meu crime, sem as cores do delírio. Levantei. Andei pelos cantos, sem coragem de confessar por que resolvera entrar na casa. Os dois homens me olhavam em silêncio, esperando que eu falasse. Perguntei onde ficava o quarto. Todos sabiam o cômodo a que me referia.

Nenhum respondeu. Tio Josafá caminhou até a porta, como se desejasse ir embora. Perscrutou a altura do sol e voltou-se para mim.

— Você tem coragem?

* * *

Tio Salomão foi quem me guiou, acendendo luzes, clareando salas e corredores. Eu o seguia hipnotizado, um prisioneiro a caminho da cela, depois de escutar de um tribunal do júri sua condenação. Paramos diante de uma porta baixa, no ponto mais escuro da construção quadrada.

Olhei a porta que ainda guardava a tinta original, um ocre que se tornara preto pelo acúmulo de mofo e poeira. Hesitei em abri-la. Em todos os filmes, o carcereiro saca um molho de chaves, introduz uma delas na fechadura, abre a porta da cela e empurra o prisioneiro para dentro de sua prisão. Esperei por isso, mas o tio continuava parado junto de mim, sem se mover.

— Ele ficou aqui?
— O que lhe contaram?

Recuei. Seria necessário vivenciar o horror? Foi para retornar ao mesmo ponto que deixei a Galileia, jurando não repetir a história da família? E se eu corresse até alcançar o Recife, pegasse Joana e os meninos e fugisse para longe? Mas o que fizemos Davi, Ismael e eu todos esses anos, senão fugir? O mar! Lembrei os oceanos e tive uma revelação do sentido das viagens para os antepassados portugueses. O mar significou a ruptura com as sombras da Idade Média, com a prisão dos castelos.

— Vai entrar? — perguntou tio Salomão.
— Precisa?
— Não sei. Você pediu.

Eu hesitava. Tinha chegado até ali, mas preferia recuar. O que aprenderia entrando no quarto? Já escutara dezenas de vezes a história de tio Domísio, como sofrera no tempo em que viveu trancado, sem enxergar uma nesga de sol. Adivinhava o mundo pelos ruídos que chegavam de fora. Quando saiu dali, para nunca mais ser visto, era um molambo branco, encardido e sem forças.

— Tio Salomão, como você teve coragem de desenterrar tudo isso?

Tio Salomão sorriu. Percebi que adivinhava meu sofrimento.

— Quando nos distanciamos de nossa origem, o reencontro com o passado é doloroso, quase impossível. Sempre vivi aqui. Desde que nasci olho essa casa. Ela não me assusta porque faz parte de minha vida. Não é o seu caso, Adonias. Para você ela é um fantasma.

Tocou-me no ombro e me chamou de volta à sala.

— Vamos, desista!

Num impulso, empurrei a porta e entrei. O quarto era escuro, continuava do mesmo jeito. Tio Salomão não permitiu que pedreiros, eletricistas e pintores mexessem em nada. Sem móveis ou enfeites, sem janelas, era apenas um quadrado vazio.

Tio Salomão permaneceu do lado de fora. Não sei se me olhava, porque demorei a acostumar a vista à escuridão. Pedi licença e encostei a porta. Avancei um pouco, e só então percebi João Domísio, sentado numa cadeira. Estava magro e triste, e a brancura da pele sobressaía como uma lamparina acesa. Não reparei nos detalhes da roupa, porque não conseguia despregar os olhos do seu rosto triste. Supus que chorava.

— Tio João Domísio, é você?

Ele balançou a cabeça dizendo que sim, e continuou sentado.

— Tio, eu sou Adonias.

— Eu sei.

Levantou-se e veio em minha direção. Corri para a porta, mas ela havia sido trancada por fora.

— Não tenha medo, Adonias! Eu não posso lhe fazer nenhum mal.

— Tio!

Olhei-o, assustado. Ele tocou os meus ombros e aproximou o rosto do meu. Senti o cheiro de seu hálito, quando nossas testas se juntaram.

— Adonias, o que veio fazer aqui?

— Nada, tio, eu só queria perder o medo de você.

— Não há razão para medo, somos bem parecidos.

— Você acha?

— Acho. Hoje à tarde, você atraiu Ismael para o mesmo lugar em que eu matei Donana. Você já cansou de ouvir essa história. Tanto que já nem sabe se ela é minha ou sua. Além de repetir o meu crime, como se não bastasse a semelhança, correu para a mesma casa, e procurou se ocultar no quarto em que me escondo.

— Será possível?

— Não duvide!

Pediu que o olhasse e só então pude vê-lo em detalhes. Possuía a mesma beleza cantada em versos pelos poetas violeiros, mas as feições haviam perdido os sinais que distinguem o homem da mulher. A voz também perdera o tom grave, subia em agudos como a fala dos adolescentes. Seriam efeitos da escuridão e do silêncio prolongado?

— Adonias, meu rapaz, eu vejo sua luta e me compadeço. Você não consegue transpor o limiar desse mundo pequeno, e apela para o assassinato. Estou mentindo?

— Não.

— Eu também quis ir embora, para a mesma cidade em que você escolheu morar.

— Nunca percebi essa coincidência.

— Mas não me deixaram partir, e eu matei.

— Tio, não me assuste!

Saí de junto dele. Fugia ao fascínio de sua figura descarnada. Nessa hora percebi o quanto eu estava cansado, depois de correr sobre lajedos, no sol quente de dezembro. Sentei-me na cadeira e fechei os olhos. E se eu tivesse de viver o resto dos anos naquele quarto escuro, sem nunca esquecer o meu crime? Rebelei-me e decidi fugir. Duas mãos me sustiveram. Era tio Domísio. Ele atraiu minha cabeça para junto do seu corpo e afagou meus cabelos. Lembrei-me que estava despido da cintura para cima, quando suas mãos tocaram meu peito. Levantei-me de vez.

— Por que você não descansa como todos os mortos?

— Os mortos nunca descansam. E quem disse que estou morto?

— Todos acreditam que morreu.

— Menos você, que hoje veio atrás de mim. Deseja que o console pelo que fez com seu primo Ismael.

Falou o nome de Ismael tão próximo de minha boca que senti o sopro de cada vogal e consoante. Depois me abraçou novamente.

— Adonias, você vai ficar comigo?

Tentei me desvencilhar do tio, mas não conseguia vencer o encanto de sua proximidade. Meu desespero virava torpor. Desejei o sol lá de fora, a luz que nunca atravessava o telhado da prisão.

— Enquanto corria desesperado, pensei que não tinha outro jeito para minha vida, que o meu castigo deveria ser igual ao seu. Mas agora tenho dúvidas. Acho que o meu crime não é tão grave. Você não ficou sempre aqui, um dia foi embora, e nunca mais se ouviram notícias suas. Uns acham que seus cunhados vingaram a irmã, outros acreditam que você conseguiu esconder-se longe, e morreu de velhice.

Domísio sorriu e largou-me.

— São invenções. Sempre estive aqui para os que me procuram. Como você, Adonias.

— Pare de me atormentar, não sinto medo.

— É verdade, você já não tem medo de mim. Então, fique em minha companhia. A solidão cansa, mas pior que tudo é o esquecimento. É bom descobrir pessoas que não se livraram dos elos com a minha história. Como você, Adonias.

— Não tenha convicção disso.

O tio voltou a sentar, ele também parecia cansado.

— Durante a vida existe dor, mas nenhuma na morte — falou.

— Se você afirma isso, é porque está morto. Portanto, você não está aqui. Esse com quem falo sou eu mesmo.

Olhei o quadrado de paredes, e temi ser vencido na peleja com Domísio. Os pensamentos se embaralhavam e eu não sabia o que argumentar.

— Não me deixe mais confuso do que já estou — supliquei.

— Me aceite como amigo.

— A amizade só se consuma após sete passos dados juntos. Nós dois não temos caminho nem futuro. Esqueceu que está morto?

— Você é duro, Adonias.

— A última pessoa que afirmou que sou duro também está morta como você.

João Domísio sorriu novamente, e percebi que reconhecia minha força. Aproximou a boca de meu ouvido e sussurrou:

— Aceite um presente. É bom poder dar.

Não pensei duas vezes.

— Mande Ismael de volta.

Ele afastou-se com brutalidade, parecia irritado. Caminhou pelo quarto, sentou na cadeira e levantou dela várias vezes.

— Não é por amor a Ismael que você pede a vida dele. Não, não é. Deseja apenas livrar-se do remorso de tê-lo matado. Sabe que o inferno é remoer uma culpa pela eternidade. Apenas os que não sofrem remorso são felizes. Mas eu sofro, e você também.

Decidi que não o escutaria mais. Apurei o ouvido para os sons de fora. Não ouvi nada, nenhum sinal do mundo dos vivos chegava ali dentro.

Domísio retornou para junto de mim. Quando falou, sua voz tinha a mesma doçura do princípio de nossa conversa. O rosto branco voltara a brilhar no escuro.

— Não é difícil dar. Difícil é encontrar alguém digno de receber.

— Não sou exemplo de generosidade. Quando peço a vida de Ismael, penso em meu próprio ganho. Não suportarei viver, depois do que fiz.

— Eu já vi muitos homens, e penso que Ismael merece a graça de viver. Mas você, Adonias, não pode receber esse prêmio sem dar nada em troca.

Caminhou pelo quarto, depois sentou na cadeira. Cruzou as pernas como todos os nossos parentes, e quando me olhou já não era o mesmo Domísio de antes. Temeroso, aproximei-me da porta. Tentei abri-la, mas ela continuava fechada.

— Você cede a metade dos seus dias na Terra a Ismael? — perguntou-me.

Empurrei a porta, gritei o nome de tio Salomão, mas continuei sem saída.

— Cedo.

O quarto tornou-se mais escuro, minha cabeça girou, e desmaiei. Acordei estirado no chão, a cabeça apoiada no colo de Domísio. Ele afagava meu cabelo. Fiquei um tempo quieto, e depois me levantei. O tio caminhou para junto de mim, segurou meu rosto e falou:

— Está feito. Tomei a metade dos dias que lhe restam, e dei a Ismael como se fossem dele. Acho que fui justo. Quer que lhe diga o número desses dias?

— Não. Por favor, deixe-me ir.

A porta se abriu. Tio Salomão permanecia de pé, do lado de fora, na mesma posição em que ficara. Não sabia quanto tempo transcorrera desde que entrei no quarto. Caminhamos de volta à sala, ele na frente e eu nos seus calcanhares. Não olhei para trás uma única vez. Aliviado, avistei o prato com as talhadas de melancia, e o rosto sonolento de tio Josafá, alheio a minha viagem às profundezas do inferno. O cheiro de mofo provocou-me uma crise de espirros. Também esquecera no Recife o descongestionante nasal, o remédio contra alergia e os lenços de papel.

Sentei novamente. Nenhum de nós tinha pressa. Começava a acreditar que nada acontecera, quando tio Salomão me olhou de longe e perguntou:

— E Ismael?

— Ismael?

O nome ressoou por dentro da casa e abalou o meu corpo. Parecia a voz antiga de Deus, falando pela boca do avô Raimundo Caetano.

"Onde está teu irmão Abel?"

"Não sei. Acaso sou guarda de meu irmão?"

O avô insistia em arrancar uma confissão de mim.

"Que fizeste? Ouço o sangue de teu irmão, do solo, clamar por mim."

Não sei quanto tempo ausentei-me da casa, da presença dos dois tios que olhavam para mim sem compreender nada. Josafá sentado ao meu lado, terno, aguardando que eu terminasse de comer a melancia para lavar o prato. Salomão arrumando estantes, mais reservado e solene.

— Ismael! Vocês não saíram juntos de manhã?

Retornei da longa viagem por terras que só conhecia através dos livros e dos filmes, da outra Galileia.

— Ismael? — interroguei com o olhar voltado para a porta, onde ele apareceu no retângulo de luz, um hematoma na testa, um corte profundo que merecia sutura.

— Posso entrar? — perguntou entrando.

— Meu Deus! — exclamou tio Salomão. — Outro acidentado?

— Tropecei e bati a cabeça numa pedra. Adonias veio embora e me deixou, sozinho. Porcaria de tênis, não é, tio Salomão? Se calçasse umas botas como as suas, não caía!

O tio riu satisfeito, com a alusão ao seu vestuário sertanejo. Ninguém compreendia nada. Ficaram mais confusos quando comecei a chorar. Perguntavam o que eu tinha, eu respondia que chorava por causa do avô e sua doença sem cura. Não queria vê-lo morrer. Ismael interrompeu meu choro, querendo saber se havia médico na cidade que pudesse tratar seu ferimento. Não tive coragem de oferecer-me para acompanhá-lo a um posto de saúde. Os tios insistiam para que Ismael me levasse com ele. O primo respondeu que eu estava descontrolado. Despediu-se e pouco depois escutamos o barulho de seu carro. O alvoroço dos tios cessara. Eles já não precisavam representar cordialidade. Sempre que Ismael aparecia, era um tumulto, um rebuliço nas pessoas. Tio Josafá recolhera o prato de melancia e pedi que o trouxesse de volta. Ficaria um pouco mais naquela casa, pois agora não tinha condições de cuidar de ninguém, nem de mim mesmo.

Salomão

Nada a fazer depois do pranto. Largo-me numa cadeira, esperando a tarde passar. Ismael não retorna e duvido se lembra de alguma coisa. Falou a verdade quando disse que tropeçara, batendo a cabeça numa pedra? Nunca sei o que é verdade na Galileia.

Caminho pela sala, olho através das janelas. Preciso conter a agitação. Saí do ringue sem feridas aparentes, sem hematomas ou nariz quebrado. Mas sinto um gosto de derrota, a boca amarga, a saliva presa. Pigarreio, tusso, entrevejo pedaços de mapa: Cingapura, Jacarta, Sumatra, Manila, lugares aonde nunca fui. Novamente me pergunto se ali as pessoas são menos complicadas do que somos na Galileia.

Matei Ismael, não interessa se ele respira, bebe cerveja em Arneirós, fica com garotas. Matei-o e ele continuará me assombrando como tio Domísio. Alguém na família precisava repetir o que os antepassados fizeram. Cada um de nós carrega um assassinato na consciência, esperando a oportunidade de repeti-lo. Matei e pronto. Nunca perguntarei a Ismael o que sentiu. Ele fingirá que nada aconteceu e nós conversaremos sobre a importância de plantar mamona para o fabrico de biodiesel.

Apanho um livro, passo as páginas sem ver, reponho-o onde estava.

— Sua biblioteca cresceu muito, tio — comento para não ficar calado.

Não tenho ânimo para ler os títulos das obras. A maioria dos livros só interessa a Salomão. Ele coleciona tudo o que se refere ao mundo sertanejo, folclore e cultura popular. Possui dezenas de tratados genealógicos, a única produção literária de algumas cidades. Num dia em que eu estiver mais tranquilo, vou perguntar a razão das pessoas de se preocuparem tanto com a origem das famílias.

Volto à janela e olho para fora, esperando que algum milagre aconteça. Mas sinto apenas o calor sufocante. Nem a proximidade do crepúsculo ameniza a luz do sol. Silenciosa, a casa do avô parece desabitada. Não escuto barulho, nem enxergo ninguém se movendo nos alpendres. Onde se esconderam as pessoas da Galileia? Protegem-se do calor ou não querem ser vistas? Estão ocupadas trabalhando. Davi, Ismael, Elias e eu somos os únicos vagabundos por aqui.

Viro-me para os corredores de estantes, observo o tio perdido no seu labirinto. Abro um livro com desleixo, largo-o em cima de uma mesa com desprezo por tudo o que Salomão juntou durante a vida.

— No meio de tanta literatura ruim, vejo alguma coisa boa, tio — é o melhor que consigo falar.

O tio magoa-se com o comentário. Não esperava o meu ataque.

— Essas genealogias possuem valor, são os rudimentos de nossa história. As epopeias gregas e indianas também estão cheias de genealogias.

— Desculpe, não quis ofender.

Quis ofendê-lo, sim. Não perco oportunidade de magoar tio Salomão. Não perdoo sua segurança, o orgulho que sente da heráldica sertaneja, dos brasões, ferros de marcar boi, histórias familiares, coisas de pouco valor para mim. Vago numa terra de ninguém, um espaço mal definido entre campo e cidade. Possuo referências do sertão, mas não sobreviveria muito tempo por aqui. Criei-me na cidade, mas também não aprendi a ginga nem o sotaque urbanos. Aqui ou lá me sinto estrangeiro.

Tio Salomão ganha dinheiro com caprinos, investe no plantio de mamona, ganha mais dinheiro e gasta comprando livros, a maioria em sebos e casas de colecionadores. Quando tia Marina habitava a Galileia, os dois perdiam horas definindo fronteiras entre o que é cultural e o que é literário na produção brasileira. O tio afirmava que apenas nós resolvemos os conflitos de convivência da oralidade com a escrita moderna e construímos uma escrita singular, a narração literária de nossa cultura. Não lembro o que tia Marina pensava a respeito, certamente discordava.

Sem grandes convicções nacionalistas, eu acho o papo furado, conversa de quem não descobre jeito de trepar. Tio Salomão preenche a falta de sexo com delírios míticos sobre a mistura dos ibéricos, índios e negros, dando origem ao povo do sertão. Julga-se um intérprete da cultura brasileira, porta-voz dos pobres e desvalidos, sem abrir mão das regalias de um nobre. Recuei nas investidas que fez sobre mim, tentando converter-me ao seu movimento. Davi escuta as prédicas como um devoto fiel, tirando proveito do amor que o tio sente por ele, como se fosse o filho que Salomão nunca teve com Marina. Pura dissimulação. Interessa-se menos do que eu pelos signos e emblemas do tio.

O prato que Josafá trouxe da cozinha continua me esperando. Sento e como. Pedaços de melancia deslizam por minha barriga e molham o cós branco da cueca. Distraio-me contemplando o vermelho-claro da polpa, os grumos açucarados, pequenos coágulos de sangue. Olho a casa sombria, um homem respeitável no meio de estantes, um homem abobalhado inventando brinquedos. Será que o homem respeitável e sereno passou a mão em Davi? Quem fez escorrer o sangue entre as pernas de Davi? Ninguém, talvez. O delírio incestuoso da família criou a farsa. Se eu comer mais melancia e a garapa vermelha transbordar de minha boca, descendo pelo rego do peito, pelo umbigo e púbis, molhando as coxas como um jorro que não cessa, dirão que é sangue. Também posso despir a calça e correr pelos descampados, mais nu que Davi. Ele vestia uma camisa branca, e eu não vestirei nada. Nu por inteiro, igualzinho ao rei Davi, dançarei em frente às portas da Galileia, lambuzado de garapa vermelha.

Levanto-me e caminho agitado. Sinto uma ligeira excitação.

Sempre fantasiei que a camisa branca que cobria Davi era de tio Salomão. Paro junto dele.

— Tio.
— Você ficou calado, Adonias.
— Estava pensando.
— Pensando em quê?
— No senhor.
— Em mim?
— No senhor mesmo. Posso?
— Poder, pode. Não sei se vale a pena.

Falo das minhas desconfianças? Peço a Salomão que me revele o que sabe? É melhor andar um pouco mais, esfriar a cabeça. Durante o dia só pratiquei desatinos.

— O senhor confia em mim, tio?
— Que pergunta mais fora de propósito.
— Confia?
— Você está bem do juízo, Adonias?
— O senhor acha que eu não estou?
— Na nossa família, de vez em quando um sai do prumo.

Não adianta, ele nunca me confessará nada. É melhor imaginá-lo um sábio, um velho conservador e moralista que não violentaria o sobrinho.

Caminho em círculos. Sinto-me acuado pelos livros, esmagado pelas verdades que encerram. Foi por causa dos livros que nunca consegui entender-me com tio Salomão. Quando nossas disputas abrandavam, eu me tornava justo e generoso, deixava os rancores de lado e reconhecia nele uma erudição solitária, um jeito próprio de ver o mundo e a civilização brasileira. Percebia seu esforço em busca do que é permanente e sobrevive ao furor das mudanças. E admirava o quanto ele insistia numa consciência regional, procurando desenvolver um pensamento e uma prática cosmopolita. Separado de um passado mítico e irrecuperável, esforçava-se por achar no presente um caminho para ele e seu mundo sertanejo. Mas essa trégua durava pouco tempo. Logo eu voltava a ser o intelectual pós-modernista desconfiado da cartilha do tio, temeroso de que ele me transformasse em mais um talibã sertanejo, desses que escrevem genealogias familiares e contam causos engraçados.

Passo outra vez em frente aos mapas. Quantas voltas eu dei? Perdi a conta. Avisto Portugal, Espanha, França, Inglaterra, Itália, lugares aonde já fui. Somos empurrados na direção desses países desde que nascemos. E a Romênia, mais a leste, por que nunca a visitamos? Sentimos desprezo pelos romenos? Melhor não pensar nessas coisas; ninguém me obriga a ter opiniões formadas sobre tudo.

Tenho a impressão de ouvir um telefone. Corro à janela, olho para fora. O sol esquenta os lajedos e a tarde. O telefone era um chocalhinho de cabra. Confundi os sons. Avisto a poeira levantada por um carro e sinto alívio, imagino que Ismael volta, depois de ser atendido por um médico. Tio Natan desce de uma picape, bate a porta com força e não olha para mim. Do lado esquerdo de sua cintura, alguma coisa faz volume, talvez um revólver. Na Galileia os homens portam armas de fogo. Eu utilizo um método mais arcaico para matar: apanho pedras no chão e arremesso contra minhas vítimas.

Rio dos meus pensamentos.

— Está rindo de quê? — tio Josafá me pergunta.

Se eu disser do que acho graça, ele não compreenderá nada. É melhor arremessar outra pedra contra Salomão, emendar uma resposta que não tem nada a ver com a conversa. Faz de conta que Marina ainda reside na Galileia e eu fui admitido na discussão dos mais velhos.

— Tio Salomão é um regionalista. Existe coisa mais fora de moda do que um regionalista?

O assunto não interessa nem um pouco a tio Josafá e ele volta a ocupar-se com uma das geringonças que inventa. Tio Salomão dá um passo à frente, se esforça para não responder minha provocação. Penso no risco que correria se ele fosse Natan. Mas o colecionador de livros não usa revólver, nem faca. No máximo me dará um puxão de orelhas.

Eu conheço a resposta do tio. Ele sempre foi contrário aos movimentos regionalistas, acha que "em vez de andarem atrás de particularidades sem importância, deveriam investigar a contribuição econômica, social e linguística que o Nordeste deu para a formação do Brasil, e tudo o que foi produzido nas artes".

— Quer saber de uma coisa, Adonias? Regionalista é a mãe. E quer saber outra?

Sinto-me acuado.

— Essa conversa não soa natural. Você tenta ganhar tempo. O que andou aprontando?

— Eu? Nada.

— Nada? E entra banhado de sangue em minha casa, me pede que eu lhe mostre um quarto...

— Não precisa lembrar. Faz menos de uma hora e não esqueci.

— ... debocha de mim, do meu jeito de ver o mundo.

— Desculpe, tio.

— Me diga o que você pensa, Adonias; quero ouvir.

— O senhor sabe o que eu penso.

— Juro que não sei.

— Ora, tio. Assim eu me encabulo.

— Fale de uma certeza; apenas uma.

Olho pela décima vez o senhor alto, magro, de pele branca, vestindo calça e camisa de brim azul. Ele mesmo desenha os modelos das roupas. Usa cordão de ouro no pescoço e uma medalha com a marca de ferrar gado da família. É bem mais ardiloso do que eu e num instante vira o jogo a seu favor. A angústia que cedera lugar ao remorso, e depois a certa dose de arrogância, se transforma em covardia. O tio me encara com desprezo, como se eu não passasse de um fedelho metido a besta. Desdenha o que estudei, onde vivi, e a idade que tenho.

— Posso lhe falar de um projeto literário.

Ele me responde sem interesse.

— Davi me contou que você escreve um romance.

— Tento escrever, mas não é fácil.

— E por que menospreza os autores de genealogias e se julga superior a eles? Só porque morou na Inglaterra?

Tento me justificar, mas o tio nem me ouve.

— Um intelectual peruano declarou que não seria o escritor que é sem os anos que morou na Europa. Besteira!

Arranca e repõe livros nas estantes, sem ligar-se no que faz.

— Ninguém precisa viver fora de seu país para escrever um bom romance.

Senta junto de mim e sua perna roça a minha. Contraio-me. Percebendo meu movimento, ele se afasta com reserva. Nossa intimidade não vai além das palavras ou de um aperto de mãos.

— Nunca pensei em ir embora de minha terra. Leio o possível, me informo sobre o que acontece no mundo, mas não fui muito longe, nas poucas viagens que fiz.

Entrego-me ao desalento e calo. Por sorte, escutamos vozes na casa de Raimundo Caetano. Despeço-me dos tios e corro para lá.

* * *

Encontro Tereza Araújo na porta, vindo à minha procura. O avô sentiu-se mal durante o curativo e pensaram que fosse morrer. Sinto remorso por tê-lo abandonado, mas não permito que tio Natan me recrimine. Raimundo respira com dificuldade e está mais pálido que de costume. Meço a pressão e constato que baixou.

— *Sabrina Dizioli é sedentária, mas sua taxa metabólica é alta, mesmo se comparada com a de alguém fisicamente ativo* — comentam num programa de televisão sobre cuidados com a saúde, o que a avó Raquel mais gosta de ver.

— *Sabrina foi privilegiada pela genética. Ela não dispensa doces nem carnes suculentas, daquelas de churrascaria rodízio, mesmo assim na composição corporal só apresenta dezessete por cento de gordura.*

— Para que o ritmo metabólico se mantenha elevado é preciso se engajar numa rotina de atividades aeróbicas, tomar chá verde e um suplemento à base de cafeína.

Informo a Tereza Araújo e a tio Natan o boletim médico sobre o avô. Recomendo não esquecerem de oferecer água ao doente, para que não desidrate e a pressão baixe outra vez.

— Manter o corpo bem hidratado é essencial para eliminar as toxinas resultantes da queima calórica. A água gelada acelera o metabolismo, ainda que temporariamente. O organismo queima calorias para esquentar a água ingerida e, dessa forma, evitar que a temperatura corporal caia.

A avó grita, pedindo caneta e papel. Certamente deseja anotar os conselhos do programa. Assim que escutam Raquel, as costureiras da fábrica, que espionavam nosso alvoroço, correm de volta ao trabalho.

— Não é melhor removê-lo para um hospital? — pergunta tio Natan.

Não tenho calma para conversar com ele. O que se faz com uma pessoa de oitenta e cinco anos, consciente e sem chances de curar-se?

— Responda, Adonias. O médico é você.

Cansei de ser maltratado. Natan debocha de minha conduta médica e Salomão nem considera as investidas que faço na literatura.

— Com o envelhecimento, o ritmo metabólico tende a diminuir. Por isso, vários especialistas insistem que, com o passar dos anos, é essencial manter elevado o nível de exercícios físicos e reduzir o consumo de alimentos em cerca de cem calorias por década.

A avó grita novamente, ainda não levaram o papel e a caneta que pediu; o programa está quase no final e ela não anotou as recomendações para manter-se sempre jovem. E se não anotou esquecerá, pois na velhice a memória também diminui.

* * *

Instalo um soro no avô, deixando-o gotejar ligeiro. Conto as gotículas que se esvaem como pingos de uma bica, depois da chuva. Elas passam por uma mangueira transparente, atravessam uma agulha em forma de borboleta e entram pelas veias de Raimundo Caetano, ganhando seu corpo. O avô não permitia que eu me banhasse nas águas das primeiras chuvas, com medo de que adoecesse. Lá pelo meio do inverno, não perdia um banho. Saía de casa em casa, à procura da biqueira mais forte. Uma possuía a forma de boca de jacaré e o jorro machucava sem compaixão. Nunca ganhei o concurso de aguentar mais tempo embaixo da água. Em poucos segundos a cabeça estourava e eu desistia. Ismael e Elias suportavam a carga, firmes, não arredavam o pé. Quando a chuva findava, eu me divertia sozinho com os últimos pingos apressados, depois lentos, mais lentos, até se transformarem em memória de chuva. Olhava para o alto e contava as gotículas, o soro correndo por veias azuladas, o corpo entregue ao cansaço, quase adormecido numa rede cheirosa e de varandas bordadas em pontos de labirinto, labirintos parecidos com as estantes e os quartos da casa de tio Salomão.

— Adonias!
Fecho e abro os olhos a cada gota, avisto o céu longe, as nuvens brancas de água me envolvem e eu atravesso o limiar de um sonho.
— Quem me chama?!
— Donana, sua tia.
Não percebera o vulto estranho. Seria mesmo a esposa de nosso tio Domísio?
— Desculpe, nem vi a senhora.

— Ninguém me vê mais. Todos andam preocupados com a doença de Raimundo; até me esqueceram.

— Não é isso, tia. Distraí-me contando as gotas da chuva.

— Eu notei que você balbuciava e depois adormeceu. Está cansado?

— Estou. Nem sei mais o que faço.

— Durma, então.

— Eu bem gostaria, mas não deixam.

— Quem não deixa?

— A senhora.

— Não é verdade. Vejo o que acontece na casa e não interfiro.

— Júlia me falou que a senhora vaga pela Galileia desde que morreu. Pensei que fosse mentira.

Só quando abro os olhos bem abertos reparo nos trajes de Donana. Ela veste uma longa camisa de algodão branco, a mesma com que tomava banho, quando foi assassinada. Da roupa e dos cabelos molhados não para de escorrer água. Observo os pés descalços, sem os chinelos que serviram de falso testemunho para o crime. Na pressa em fugir do marido, Donana nem pôde calçá-los.

— Por que não se enxuga? Não sente frio?

— Sinto, mas não me importo. O frio me ajuda a ficar acordada, a não esquecer o que Domísio fez comigo.

— Nunca o perdoou?

— Nunca. É por isso que não descanso.

— Ele também não descansa.

— Eu sei.

Os olhos da tia brilham com uma luz misteriosa. Ao virar-se na direção do avô, expõe a mancha vermelha que tinge suas costas. O sangue escorre da ferida aberta por um punhal, como a água dos cabelos e da roupa.

— Quando seu tio me matou, resolvi não subir ao céu nem descer ao inferno, como todos os mortos fazem. Da parede do açude eu avistei Domísio se esconder na casa do irmão e quando os meus parentes chegaram, loucos por vingança. No fundo do meu coração, que é um coração de mulher, eu ainda me sentia presa a Domísio. Não podia partir sozinha e deixá-lo entre os vivos. Olhei para o céu, querendo descobrir uma maneira de dominar a morte. De pé, equilibrada nas pontas dos dedos, senti passar chuva e sol, sem nunca abandonar o meu posto. Vi gerações nascendo e morrendo. Somente eu e Domísio continuávamos os mesmos: ele vivo e eu morta. Ou será o contrário?

— Não sei responder.

Donana se afasta para um lugar escuro do quarto. Desejo trazê-la para junto de mim, mas não consigo.

— Tia! Ainda está aí?
— Estou.
— Como consegue se mover desse jeito?
— É fácil, quando se morre.
— Me diga o que faz na Galileia.
— Vigio Domísio e espero o dia em que as mulheres se rebelarão contra seus assassinos.

Novamente ela olha na direção do avô, como se fosse revelar algum segredo. Talvez possa me dizer quem molestou Davi.

— As mulheres assassinadas vagam depois de mortas, sem pouso ou sossego. Mas eu pressinto que nosso dia está próximo.

— Que dia?

O soro ainda goteja. Ouço o barulho de água correndo, uma cachoeira ruidosa. O avô Caetano ressona alto, indiferente à minha conversa com Donana.

— Por favor, que dia é esse?
— Adonias!
— Responda.
— O soro acabou.
— Jacó!
— O que você tem? Está com uma cara...
— Nada.

Tereza me oferece um prato de sopa. Pergunto por Ismael, mas ninguém sabe o paradeiro do primo.

* * *

Quando saio para o terreiro, ainda encontro um resto de sol. As costureiras largam o trabalho, felizes porque voltam para casa. Esaú irá levá-las de carro e eu posso acompanhá-lo. Talvez me divirta um pouco, ouvindo conversas amenas. Nenhuma das moças especula sobre o movimento regionalista, como tio Salomão e tia Marina. Pra elas pouco importa que o regionalismo tenha sido uma invenção dos intelectuais do Recife para se contraporem aos modernos do Sudeste, ou que seja um formato de romance fora de moda. Elas costuram redes, bordam panos, tecem varandas, deitam e dormem despreocupadas se as redes são regionais e possuem pouco valor de mercado porque foram fabricadas no Nordeste, bem longe de São Paulo e do Rio de Janeiro.

Uma cerveja com essas moças me fará bem, talvez me imunize contra a paranoia salomônica, o sentimento de que fazemos parte de outro Brasil, pobre e discriminado. No meio de toda conversa ele empurra seu discurso, fala que nos chamam de regionalistas apenas para diminuir o valor do que nós produzimos. Convenço-me de que leu em excesso os romancistas russos e sofreu indigestão. Doença que seria facilmente curada se trocasse uns amassos com alguma das costureiras. Elas nem ligam para o significado de autêntica cultura brasileira e outros desvarios, olham a triste figura que aparento, indiferentes às minhas ambiguidades, meu eterno dilema entre ser ou não ser um novo profeta sertanejo.

— Quem de vocês namora tio Salomão?

As moças acham graça. Nenhuma encara o romance. Salomão passou do tempo, ocupou-se com outros afazeres que não as mulheres. Todos se habituaram a vê-lo como um personagem extravagante, um sábio aluado ou um cavalheiro antigo.

A conversa besta me anima. Provoco.

— E Esaú, tem chance com alguém?

Elas se agitam, apontam supostas apaixonadas, e a mais atrevida puxa o cabelo do rapaz. A temperatura dentro do carro sobe, Esaú pisca o olho para mim, sem qualquer respeito. Aonde chegaremos? Se eu continuar a brincadeira, saberei a resposta. As moças querem mais jogo. Eu canso ligeiro das zombarias e me calo. O mau humor retorna implacável. Pobre tio Salomão, como sobrevive nesse mundo? Por que não fugiu, como eu? Nas poucas viagens que fez, nunca foi muito longe. Sempre acreditou que a poesia estava ao alcance de todos, até mesmo dos indivíduos simples e analfabetos, e procurou-a ali mesmo na Galileia.

Sou instável, vario ao sabor do Aracati, o vento que muda do lugar tudo o que existe. Não teria coragem de viver como o tio, cavando a terra seca, semeando na pedra e esperando a colheita. Já não acho a menor graça nas costureiras, me aborreço ligeiro com essas pessoas; seu encanto é fugaz, um brilho que não vai além da epiderme. Vislumbro nuances da poesia que alimenta Salomão, mas a repetição monótona dessa poesia me chateia e cansa.

Peço a Esaú que pare o carro.

— Vou caminhar um pouco — explico.

Mas ninguém compreende minha repentina mudança de humor, os rostos alegres das moças se entristecem, elas talvez se envergonhem da intimidade com que me trataram, mesmo sabendo que fui eu quem provocou a aproximação. Sou um chato, reconheço. Nem sei como Joana se apaixonou por mim e me aguenta até hoje.

— Cuidado com Esaú! — brinco sem graça, quando bato a porta do carro sem me despedir.

Por vingança, Esaú parte acelerado e me cobre de poeira. Sacudo o pó da roupa e as partículas se espalham livres. Eu posso correr e saltar feito os cabritos, pois também me sinto leve. A companhia das moças me fez bem. Acho que devia ter continuado a viagem ao lado delas; me arrependo porque desci do carro. Vivo de arrependimentos por ações erradas ou pelo que deixei de fazer. Mas descubro a leveza no mundo que me cerca, caminho e nem suo a camisa, agora que o calor deu trégua. Se fosse possível abstrair as casas dos tios e do avô, esquecer as histórias da família e sentir apenas a leveza da poeira, não existiria nada melhor que a Galileia. As casas e as pessoas teriam a densidade de uma molécula de oxigênio e nenhuma memória de morte, nenhum peso a oprimi-las, nem mesmo o da palavra que inaugurou a vida.

Elias vem de Arneirós, me oferece carona, agradeço, prefiro caminhar mais um pouco. Arneirós soa leve, eu nem sei o que significa o nome da cidade, banhada pelas águas do rio Jaguaribe. Será que veio de arneiro, o que tem areia? Também lembra arnês, a armadura completa de um guerreiro, que o cobria da cabeça aos pés. Prefiro areia, partículas suspensas em noites como essa. A armadura pesa e aprisiona, mal conseguimos caminhar vestidos nela.

Já avisto o arnês das cinco casas, puro ferro. Pernoitarei do lado de fora e nunca mais entrarei em nenhuma delas. Vou morar na parede do açude como tia Donana, apoiado nos artelhos, suspenso do chão. Verei apenas o que paira acima da minha cabeça, o céu, as estrelas, as nuvens.

Mas não resisto muito tempo, sou atraído pela primeira luz acesa no caminho: a casa de tio Salomão. Entro nela uma segunda vez, diferente de como entrei à tarde. Já não sou o mesmo que tremia e chorava. Posso visitar sozinho o quarto onde os homens da família escondem o assassino de uma mulher. Não o farei, pois mesmo para os delírios existem limites. Olho a noite lá fora, por uma das janelas. Repito os mesmos gestos da tarde. A minha inquietação não se alterou em nada. Passeio entre as estantes, imaginando quem será condenado a substituir o guardião da biblioteca. A leveza que experimentava há pouco tempo se esvai como a água da chuva que o menino aparava na concha das mãos.

— Tio Salomão! Tio! — chamo.

— Saiu pra ver as cabras.

É Davi, que aparece em meio às estantes.

— Primo, onde se meteu? Não vejo você nunca.

— Ah, fiquei na casa de meu pai, lendo, escrevendo, tocando flauta...

— Vovô pergunta por você.

— Imagino. Mas não tenho o que fazer perto dele.

Prefiro não dizer o que penso e fico calado.

— E você, Adonias, o que tem feito?
— Tento ajudar um pouco, só isso.

Vou falar a Davi sobre o meu confronto com Ismael? Ele não teria paciência para me ouvir e eu não confio contar-lhe o que sinto. Desde nosso reencontro, percebo que contribuí para a imagem falsificada de um Davi que nunca existiu. Sempre foi mais cômodo aceitar como verdade tudo o que a família imaginava sobre o nosso geniozinho musical. Olhando para ele, a dez passos de mim, suspeito que o primo de sorriso angelical é uma farsa.

— Por que você não toca flauta para o avô? Vai fazer bem a ele.
— Acha mesmo?
— Acho.

Não consigo levar o papo com Davi. Melhor voltar à caminhada.

— Vou andar um pouco.
— Espere um instante. Lembra que falei que escreveria umas coisas? Estou imprimindo pra te dar.
— Ah!

Entrou para o escritório de tio Salomão, onde ficavam o computador e a impressora. Preferi esperar debruçado na janela. As luzes de todas as casas estavam acesas. Certamente as pessoas jantavam e viam televisão. Ainda não sentira coragem de visitar tio Natan. Nunca gostamos um do outro; mesmo assim eu lhe devia uma visita.

— Tome.

Davi entregou-me um envelope que deveria conter algumas folhas de papel. Nem imaginava o que o primo escrevera e por que fazia questão de que eu lesse.

— Pode servir pro seu romance.
— Vamos ver.

Fiquei sem jeito. Recebo uns papéis avulsos com a sugestão de usá-los num romance, que o cara nem sabe do que trata.

— Você fica por aqui? — pergunto.
— Fico. Talvez jante com o tio.

— Pois eu vou.

Deixo a casa, aliviado. Não fosse o envelope de papéis que carrego, esqueceria o encontro com Davi. Apesar da pouca luz nos estábulos das ovelhas e cabras, avisto tio Salomão caminhando ao meu encontro. Finjo que não o vejo e tomo a direção contrária, a casa de tio Natan. De uma janela, espreito a família jantando: Elias, a esposa, seus dois filhos, e o patriarca Natan. Tudo como sempre foi. Até os alimentos servidos na mesa são iguais. Elias, o empresário rico e viajado, assume os velhos costumes matutos, quando retorna à Galileia. Com medo de atrapalhar uma refeição tão harmônica, dirijo-me à morada de tio Josafá.

Josafá

Mal entro na casa do tio, me lembro de perguntar por uma das suas proezas.
— O senhor ainda faz aquela ginástica?
Ele sabe a qual delas me refiro e sorri antes de responder.
— Não.
Na família, existem os morenos e baixos, aparentados aos índios jucás. E os brancos e altos, de genes europeus. Pertencente ao segundo grupo, antes de tornar-se gordo e barrigudo, Josafá possuía uma abertura de pernas de fazer inveja a bailarino, alcançava a bandeira da porta com a ponta de um pé, sem tirar o outro pé do chão.
— Que pena!
— Não toco nem mais os joelhos com a cabeça.
— Em compensação, continua um grande inventor.
O tio gosta da visita, de minha simpatia inesperada, bem diferente da angústia que eu não conseguia disfarçar na casa de tio Salomão. E já que me disponho a ser plateia, me arrasta para ver seus últimos inventos e demonstrar uma dezena de mágicas no baralho. Algumas ele já representou de outras vezes. Finjo que nunca vi antes, rio e aplaudo.
— Posso baixar o volume da televisão?
— Baixe.
— Assim nos ouvimos melhor.
Enquanto ele entra na cozinha, desligo a televisão, o rádio e um aparelho de som, que toca uma música abominável. Se não fosse abusar da hospitalidade, eu também pediria para apagar metade das lâmpadas acesas. Mas não tenho coragem e aproveito a claridade excessiva para conferir a sujeira das

paredes, levantando hipóteses sobre os anos que se passaram desde a última pintura.

— Coma!

Nem percebi quando o tio retornou da cozinha, me oferecendo um prato com arroz e galinha assada.

— Obrigado. O senhor preparou?

Responde que sim, achando minha pergunta descabida, pois estou cansado de saber que ele mora sozinho, cozinha sua própria comida, não aceitando fazer as refeições na casa dos pais, nem dos irmãos.

— E Eunice?

— Na cidade, com a menina doente.

Novamente pergunto o óbvio, a esposa e a filha epiléptica moram em Arneirós, aonde ele vai de visita, nos domingos. Espero uma rasteira do tio.

— Adonias, por que você me pergunta o que sabe?

— Só pra puxar conversa.

Também herdei um pouco de humor dos Rego Castro, embora esteja mais próximo dos ansiosos e deprimidos. Família grande lembra um compêndio médico, com as neuroses classificadas ao lado de cada ramo genealógico. Tio Josafá cresceu no galho dos brincalhões, palhaços e namoradores. O desleixo da casa em que mora destoa da ordem excessiva da casa de tio Salomão.

— Numa coisa o senhor não mudou: continua cozinhando bem.

— Não fui eu que cozinhei, foi o fogo.

E por aí vamos até ele levantar-se novamente para fazer café. Aproveito sua ausência e olho as fotos das paredes, verdadeiras preciosidades. Numa moldura estreita, quase vinte retratinhos em tamanho três por quatro, amontoados como ex-votos nas igrejas de romarias, chamam minha atenção. A luz forte da sala ajuda a ver um rosto de índia, em que é possível reconhecer a fisionomia de Ismael.

— Tio!

— Já estou indo.

Quando chega e me estende a xícara fumegante, eu pergunto quem é a moça do retrato.

— Uma prima nossa.

— Engraçado, nunca vi essa prima.

— Viu mesmo não.

Fica sério de repente, coisa pouco habitual nele.

— Tio, não minta. Eu sei quem é a moça.

— Se sabe, por que pergunta?

— É Maria Rodrigues, a mãe de Ismael.

— Você diz que é.

O tio não consegue disfarçar a irritação de um palhaço de circo mambembe, infeliz com a bilheteria fraca e o público desrespeitoso. Mexi onde não devia, mas agora é tarde para voltar atrás.

— Foi Eunice quem mostrou o retrato. Ela não gostava que o senhor guardasse a lembrança.

— E Eunice manda nessa casa?

Arrancou o copo da minha mão e entrou na cozinha novamente. Levantei-me para ir embora, sem coragem de aprofundar a conversa. Quando retornou da cozinha, o tio ligou a televisão e o rádio. Pegou o meu braço e me arrastou para um quarto, onde desenhara na parede um labirinto de pontos. Desafiou-me a chegar ao centro da arapuca, pulando a cada três obstáculos. Alguns pontos obrigavam o jogador a retornar ao princípio, ou o eliminavam do jogo. Não tive paciência de ouvir as regras do invento mirabolante. Fiz cinco avanços, mas sofri ataques e morri logo adiante. Desisti facilmente. O tio gargalhava me chamando de tolo, o que significa idiota. Lembrou-me que o único homem da família, além dele, com gênio para a aritmética era o primo Elias. Fez questão de repetir o que cansei de ouvir: que nunca fui bom nos jogos e não matava a charada mais besta. Somando às incompetências que os outros parentes lançam em minha cara, todos os dias, concluo que não valho nada. O tio bonachão e generoso revela suas vaidades, as artimanhas para não parecer inferior aos irmãos Natan e Salomão. Concluo que motivos mais fortes do que simples brigas por rebanhos levaram Tobias a exilar-se, voluntariamente, bem longe da Galileia. Já que não sou bom nos jogos de azar, para não perder a caçada arrisco um último tiro.

— Ouvi tantas histórias sobre Ismael que nunca sei o que é verdade.

O tio não deseja arriscar-se por terreno movediço. Prefere continuar com os seus joguinhos, sem levar nada a sério.

— Está correndo da parada, Adonias?

— Dessa, estou. O senhor sabe que eu não ganho uma.

— Então veja isso aqui.

Tenta me arrastar para outro cômodo da casa, mas eu resisto.

— Tio, o senhor conheceu Maria Rodrigues antes ou depois de Ismael nascer?

— E o jogo? Vai fugir?

— Se o senhor me responder o que sabe, eu jogo.

Fica um tempo pensativo e depois responde.

— Quando Natan me levou à Barra do Corda, o filho dele já tinha nascido.

— Jura que Ismael não é seu filho?

O tio mostra os dentes amarelos e mal escovados. Ri com desprezo e cinismo quando fala de Ismael.

— Olhe a cara dele e a minha. Parece comigo?

— Não venha com essa história de semelhança, que não vale. Na família, nasce filho moreno de pai branco e branco de moreno. Misturou tudo.

— Pois não bote meu nome nessa intriga. Não tenho nada a ver com Ismael.

— Só com a índia mãe dele.

O corpo balofo de Josafá sofre um abalo. Por alguns segundos adquire um tônus jovial, despertado por não sei que lembranças agradáveis. Dura pouco a trégua de ternura, tempo suficiente para eu reconhecer nele a simpatia e a bondade que todos os sobrinhos estimam.

— Me respeite, Adonias.

Sei que o tio blefa, que nunca cobrou respeito dos sobrinhos. Sente-se acuado e ataca, revelando as entranhas raivosas.

— Brincadeira! O senhor me empulha e não aguenta o troco.

Bato nas costas dele, está tudo bem, agradeço o jantar e a hospitalidade. Nem tenho coragem de pedir que interceda por Ismael. Quando atravesso a porta de saída, arrisco uma última pergunta.

— E Davi?
— O que tem ele?
— O senhor sabe do que estou falando.
— Não sei de nada.

Não adianta insistir porque todos parecem presos a um voto de silêncio.

— Esqueça!

Saio para a noite e os descampados. Melhor aqui fora. Sempre gostei dos espaços abertos, mais previsíveis do que os corredores das casas. Basta um dia de sol e tudo o que parecia escuro se revela sem mistérios. As casas nunca expõem as entranhas. É preciso botá-las abaixo, arar o terreno onde se erguiam e salgá-lo. Talvez desse modo se afugentem os segredos, os crimes velados ao longo dos anos.

A certeza provisória de que não existem mistérios, de que imagino fantasmas para alimentar o medo, me deixa leve outra vez. Caminho e passo em frente à casa de tio Natan. A família assiste ao telejornal, indiferente às minhas inquietações. Não entrarei nem perguntarei nada. Agora passo em frente à morada de tio Salomão. Ele janta na companhia de Davi. Sobre o que conversam? Também não sou desejado àquela mesa. Minha curiosidade atrapalha e constrange. Encarar a luz é a mais aprazível das sensações, pois o que está sob a terra é nada. Mas todos preferem ignorar o pensamento do velho filósofo; cavam e escondem debaixo da terra o que é possível ocultar. Temem a verdade do mesmo modo que os antigos temiam os assaltantes e enterravam moedas de ouro e prata em botijas. Somente depois de mortos seus espectros apareciam, revelando os lugares onde ocultaram os potes misteriosos. Pediam aos vivos que desenterrassem o que esconderam com sofreguidão, pois somente dessa maneira teriam sossego. De nada valem essas premonições. Todos na Galileia preferem vagar pelo resto dos tempos a desvelar algum dos segredos que nos mantêm presos às mais sórdidas tramas.

Também não entrarei na casa do avô, onde poderia guardar os escritos de Davi. Caminho para o açude. Gosto de olhar as águas e escutar os pássaros noturnos.

Davi

Durante a maior parte do tempo em que ficou na Galileia, Davi escreveu. Nunca demonstrava interesse pela saúde do avô, nem se oferecia para ficar ao lado dele. Se tivesse permanecido em São Paulo, tocando a vidinha de músico, eu nem sentiria a sua ausência. Mas ele não veio à Galileia pelo avô, nem por mim e nem por Ismael. Veio para alimentar o culto que os tios celebram à sua falsa imagem de gênio.

Assim que li as páginas impressas, lembrei o nome bestiário, o mais perfeito para classificar o amontoado de sandices escritas pelo primo. No catálogo animal, que espécie corresponde a Davi? Quais são as outras feras que o cercam? Percorro de ponta a ponta a confissão narcísica, evitando os trechos sobre Guilherme, um estudante de jornalismo que passou férias na Galileia duas vezes, na companhia do primo, e com quem ele manteve uma relação amorosa que por sorte não terminou em assassinato.

Para mim, França e Nova Iorque significaram apenas um desfecho de adolescência, ato final do drama que você presenciou. Posso lhe falar muitas coisas, a minha agenda sexual é interessante, mas corro o risco de contar o que não interessa, destoando do personagem Davi que todos se habituaram a imaginar. Espero que seu romance seja mais picante que a minha biografia, embora duvide que você seja capaz de escrever algo que não entedie.

Davi não foi tocar coisa nenhuma em Nova Iorque. Ele inventou a história para justificar a viagem aos amigos e familiares, professores e clientes. Mas foi como se o pub sempre tivesse existido, pois ele fantasiou seus menores detalhes, tão minuciosos e excitantes que terminou acreditando na mentira. E todos nós viajamos em sua ficção, talvez porque sonhássemos com um gênio musical, ou porque sentíamos remorso pelo que aconteceu ao primo no passado, ou mais provavelmente porque não alertamos para uma espécie disfarçada de diabo, que se infiltra nas famílias conservadoras e de falsa moral como a nossa.

Já que tudo não passou de uma história bolada por ele, poderia tê-la narrado num dos serões noturnos, quando a família se reunia em volta da cama do avô. A nova geração de contadores pede espaço na Galileia. No lugar da épica sertaneja, a pornografia.

Não ter nem sequer levantado a tampa de um piano num barzinho onde músicos da falida vanguarda norte-americana costumavam tocar não invalida minha fantasia. Durante a estada no Hotel Meridian da 57ª rua, a sensação era de que eu estava ali para viver a qualquer preço a nostalgia de um tempo morto.

Você conhece as vanguardas conceituais dos anos sessenta, a utopia de que a arte caminhava para um estágio superior de liberdade, a glorificação humana. Nossa família nos empurrou para a literatura e a música. De onde veio o desejo desses vaqueiros? Acho que tudo começou com o piano da avó Macrina. Teria sido bem mais fácil sem o piano. A arte tornou-se nosso ponto sensível. Mas deixe-me continuar falando de Nova Iorque. Os artistas da geração sessenta envelheceram, embora ainda se proclamem na face da Terra, convertidos ao capitalismo, ou como pais de família católicos, ou lunáticos. A mentira que inventei sobre o pub foi uma metáfora para descrever os dias que passei ao lado de Jean-Luc, meu amante francês de cinquenta e sete anos, um otorrinolaringologista, ou melhor, otorrinô, como ele pronuncia.

Um laboratório que fabrica remédios de nariz — eu uso um dos tais descongestionantes — promoveu um encontro de especialistas. Você conhece a jogada de seduzir os médicos com almoços e viagens para que eles prescrevam os remédios. Jean-Luc ganhou uma passagem com direito a acompanhante, e me enviou um e-mail com vinte e cinco perguntas, todas cheias de expectativas amorosas, do tipo: "Você sente amizade por mim? Se não, por quê? Você sente amor? Se eu fosse a São Paulo, poderia ficar comigo?" O cara é melancolicamente francês, e as perguntas me irritaram.

Sem que eu ainda soubesse da possibilidade de viajar a Nova Iorque, ele me escreveu esse bem-me-quer-mal-me-quer pegajoso e obsessivo. Enfim, respondi a todas as questões muito francamente, inclusive a de número 6, "Aimerais-tu encore faire du sexe avec moi?" E afirmei elegantemente que não. Ele me retornou um e-mail, em que me pedia para reconsiderar o quesito sexo. E como eu sentia que minha carreira de músico brilhante não decolava, pois as pessoas desconhecem que o que menos fiz nesses últimos anos foi tocar piano, aceitei as condições dele. Avaliei minha modesta posição de estudante universitário e resolvi ingressar na viagem, não propriamente como músico, mas como um garotinho de programa de classe média.

Nada comparável à miséria desses meninos que se vendem nos postos de gasolina ou nas praias a estrangeiros que vêm ao Brasil atrás de sexo. Se eu conversasse com Ismael, até gostaria de saber os detalhes escabrosos de sua vida na Noruega. Morei na França por um período bem definido, mas percebi a dubiedade dos europeus em relação aos estrangeiros. Por um lado eles os rejeitam, e por outro necessitam deles para os trabalhos que não aceitam fazer. Já não existem franceses lixeiros, pintores de parede, faxineiros ou limpadores de fossa. Tudo o que é trabalho inferior e aviltante eles empurram para os imigrantes. E boa parte do mundo envia rapazes e moças para servi-los na cama, para saciar as taras que as esposas e os maridos fingem não tolerar.

Compreendo o sofrimento do primo Davi, a miséria que é sua vida, mas não consigo me comover. Basta lembrar o quanto ele é sacana com Ismael e como nos manteve enganados todos esses anos. Dói imaginá-lo na frente de um computador, horas seguidas, buscando em parceiros virtuais um prazer que nunca se sacia, por mais que a imaginação trabalhe. E após doze horas de sexo, cansado de percorrer salas e repetir os mesmos rituais em que simula um menino tímido à procura de um professor mais velho e autoritário, os músculos do corpo enrijecidos de contratura, ele tomba da cadeira e se arrasta até um colchão jogado ao lado. Permanece horas numa letargia de morto, sem comer e sem dormir, armazenando coragem para voltar ao computador e quem sabe marcar um encontro em algum cinema sórdido dos muitos que proliferam em São Paulo, repletos de salinhas anexas fedendo a esperma.

Eu frequentava um curso de francês em Nice. Ganhei a bolsa de um cara de São Paulo, dono de uma escola, que se apaixonou por mim via Internet, e acabou me atirando na goela de outra fera. Conheci Jean-Luc, e ele me convidou a ir a Toulouse, uma cidade de ruas estreitas, igrejas com tijolos alaranjados, cheia de estudantes. Falo da cidade, pois foi ela que me inspirou a história que inventei para meus amigos e parentes. Em Nice, eu morava na casa da Mademoiselle Telier, e qualquer viagem que eu fizesse na França teria de ser justificada a ela, e, por consequência, à minha mãe, caso ligasse para lá no final de semana, período em que eu estava com Jean-Luc.

Inventei que conhecera um garoto interessado em música brasileira. Ele tinha alguns amigos universitários em Toulouse, que se reuniam para uma *jam session*, num bistrô antigo. O garoto me convidara para tocar piano nesse restaurante, e falei que poderia comer e hospedar-me ali. Os frequentadores do lugar eram estudantes de filosofia e ciências políticas, escritores, um ou outro médico, todos amantes da música. Não precisei elaborar a mentira, porque não me fizeram perguntas. Mais adiante, quando comuniquei a minha mãe que fora convidado a ir a Nova Iorque, disse que o convite decorrera desse encontro na França. Nada muito definido, para não me pedirem detalhes. Um desses músicos de Toulouse comentou sobre mim com um amigo americano, George, que manifestou interesse em me conhecer e enviou minha passagem.

George era um músico amador, como os que eu encontrara na França, porém um tanto excêntrico; com um passado hippie, uso de LSD e certo carisma messiânico. Em suma, um guru ou coisa parecida. Ao mesmo tempo, ele possuía uma empresa de pesca em Minnesota, um lugar frio no norte dos Estados Unidos. Como seria possível que alguém tão próximo da música e das artes fosse dono de uma empresa de pesca? Eu desejava traçar um caráter superficial de um músico que não é músico, de um filósofo mais para sofista, alguém que tenta se humanizar, compensando-se do fato de possuir muito dinheiro. George tentava conciliar o sucesso financeiro com o passado hippie e a efervescência juvenil de Woodstock. Todo aquele sonho poderia ter sua expressão no presente, através da visão de um jovem como eu. Enfim, essa personagem excêntrica, inspirada numa pessoa que conheci em São Paulo, virou o George que me convidava.

Além de mim, outros artistas se reuniriam em seu pub de Manhattan. Velhos amigos, de passagem por Nova Iorque, e músicos pagos, como um percussionista cubano e um trompetista italiano. Ele preferia que ninguém se conhecesse, assim não combinariam o que tocar, e recomendava que jamais dialogássemos sobre música. Seríamos hospedados em locais diferentes. No começo do delírio, falei para meus pais que um casal amigo de George poderia me deixar dormir num pequeno apartamento na cidade, um depósito de instrumentos. Isso soava modesto, bem realista. Minha mãe ficou preocupada, desejando saber quem era o casal. Por que eles me deixariam dormir nesse quartinho? Quem eram essas pessoas? Eu respondia que não sabia muito bem, mas que iria assim mesmo. Um dia antes de viajar eu falei que um dos músicos não havia podido ir, e me passaram a sua reserva no Meridian, da 57ª rua.

    As exigências de isolamento e pouco diálogo antes de tocarmos decorriam das ideias de George. Ele queria juntar a glória e o status da música erudita, em sua forma contemporânea, com a espiritualidade e a reflexão da música conceitual. George era uma espécie de homem sem face. Combatia o ego dentro da música, talvez por não ter sido um grande músico, e odiava os que julgavam sê-lo. Desprezava os músicos comuns, sem conteúdo espiritual, máquinas reprodutoras de padrões estabelecidos. Proibia que fizéssemos qualquer improviso com suas composições que se assemelhasse a algo existente. Ele queria músicos originais, uma arte que não seguisse os padrões da classe dominante. Sentia curiosidade pelos países pobres como o Brasil. Interessou-se por mim porque eu tocava de uma forma pessoal, brasileira, com um exotismo que fortalecia sua criação inovadora. Eu pertencia ao povo excluído do Brasil. Dessa maneira, justifiquei a minha mãe o interesse de George por mim.

    Ao voltar, comentei que o sonho de George se afastara da realidade, e o pub lembrava um cenário de ficção. Quando relatei a aventura ao meu professor de piano, ele me falou entusiasmado que eu presenciara uma viagem no tempo. Conhecia o Fluxus, o John Cage, e pessoas como George, mas não acreditava que algo semelhante ainda pudesse existir. Temi ser desmascarado e preferi ficar quieto. Evitei os detalhes comprometedores, e acrescentei que tudo pode acontecer em Nova Iorque, mesmo nos dias de hoje, e o que se chama de arte contemporânea não passa de uma mistura de anacronismos e bizarrices.

    Tentei descrever o ambiente mal iluminado e decadente, repleto de instrumentos, um piano de cauda, estantes de música, músicos, um trompetista italiano, um percussionista cubano, um violoncelista francês, um oboísta inglês, uns nove ou dez excêntricos, ao todo.

O único brasileiro era eu. George deixava um cronograma na portaria do hotel, e nós seguíamos as orientações. Falei aos amigos do meu constrangimento quando cheguei ao local do encontro e não pude conversar com ninguém. Sentia uma solidão exasperadora, sou tímido, quase não falava. George não permitia trocas de olhares, ele próprio não falava. O público se constituía de pessoas mais velhas do que eu, todas egressas de Woodstock, cansadas e solitárias.

Tudo só existia graças a George. Ele comprara o pub, que estava sendo fechado, e nós daríamos a grande *jam session*. Depois ele voltaria ao Alasca, ou a Minnesota. Na hora marcada, geralmente de noite, eu me dirigia ao pub, sentava ao piano e tocava. Era expressamente proibido aplaudir, ou sentir-se aplaudido. Recebemos essa ordem por meio de uma nota deixada no hotel, antes da primeira sessão. Algumas pessoas bebiam em silêncio nas mesas, muitas aplaudiam por desconhecerem as regras da casa, e nós continuávamos a tocar, como se elas não existissem.

As sessões de improviso duravam horas, levando-nos à exaustão. Eu sentia a consciência alterada, exaltava-me com alguns piques musicais e caía na maior depressão nos momentos de caos, cheios de ruídos angustiantes intermináveis. Chegávamos ao que George pretendia, como se ele fosse um regente tirânico, nos levando à loucura. Quando minha mãe perguntou ao telefone se o público acompanhava todo o processo musical, eu respondi que não. Enrolado na mentira, eu deixava Jean-Luc passar a língua pelo meu corpo. Minha mãe cobrava detalhes musicais, e eu ali, quase gozando.

O pub se mantinha com as mesmas pessoas, os músicos não conseguiam ir embora, poucos transeuntes se aventuravam na névoa escura da sala. Olhavam aquilo por um tempo, e fugiam atarantados. Até o público mais fiel a George não conseguia avançar noite adentro no delírio musical.

Foi esse o cenário que imaginei para Nova Iorque, e até você, meu primo culto e esperto, acreditou nele. Todos caíram na mentira, ninguém duvidou que o gênio musical da família tocava nas mais prestigiadas salas. O que me movia era a curiosidade por países como a França e os Estados Unidos. Se você me perguntar mais de uma vez o que me atrai nesses lugares, eu responderei sempre de maneira diversa. Depois de quinze ou trinta dias as sensações se transformam em miragem. Quando tomamos consciência de que o impulso para viajar, ao custo de vender o corpo e a alma, é miragem, a vontade cessa por um tempo, mas retorna depois. Viajar não é mais do que parar num lugar conhecido e evitado, o lugar da solidão. Não espere coerência nos meus escritos. Sou confuso por natureza, não poderia ser de outra maneira o filho de Natan e Marina, o cruzamento de um vaqueiro dos Inhamuns com uma intelectual da Universidade de São Paulo.

Os Estados Unidos e a França são bem diferentes. Pensei nisso enquanto passeava pelo Central Park. Até hoje não acredito que estive lá, naquelas circunstâncias. Que verde, que sol, que juventude! E, conversando com meu saudoso francês, divagamos sobre o que seria ideal para um escritor de notas como eu, ou um médico como ele. Jean-Luc confessou uma queda por Paris, mas não escondia uma inveja burguesa do poder dos americanos. Ele passaria os verões em Nova Iorque, mas moraria em Paris. Já eu, tive dificuldade em decidir. É como escolher entre dois tipos de sexo ou de humor. Nessa fase de juventude sinto muito desejo de trepar; abarcar o mundo soa mais elegante. Respondi que gostaria de residir nos dois lugares. Se considerasse a minha introspecção de músico, me inclinaria por Paris. Se quisesse o agito de criar e viver, moraria em Nova Iorque. Toda essa conversa não passava de baboseira para preencher meu tempo com o francês.

Viajar é ir ao encontro do lugar da solidão. Não sei quem escreveu essa frase pretensiosa, talvez tenha sido eu mesmo. Em cada uma das viagens que fiz experimentei a angústia e o deleite de sentir-me sozinho, cercado de gente falando um idioma que não o meu. Fui vítima dessa mania que a classe média inventou, e que se tornou uma praga, a de mandar os filhos estudar fora, no Canadá, Estados Unidos, França, Inglaterra, qualquer lugar, desde que saiam do Brasil. Acho que a moda é um subproduto do colonialismo, herança de quando os senhores de engenho mandavam os filhos para a Corte. Acontece cada história absurda nesses intercâmbios. Algumas crianças não se adaptam às famílias que as recebem, e mesmo assim os pais insistem em mantê-las fora de casa, a custo de uma carga de sofrimento muito alta. Mas se os filhos não estudarem longe, sobre o que conversarão esses profissionais de classe média, nos aniversários e casamentos?

Meus pais me convenceram a fazer um intercâmbio. Minha mãe, para ser mais justo. Natan não se ligava no meu aprendizado de inglês, e vivia longe dessas aspirações burguesas. Na primeira vez que fui morar nos Estados Unidos, eu saía do meu quarto de pijama branquinho, tomava um copo de leite e ouvia o good-night-my-darling-sweet-dreams daquela mãe de família que sempre desejou um filho menino e só pariu três meninas. Ela me observava com ternura pegando o leite na cozinha, e me aproximando candidamente para o boa-noite. Eu fingia que não notava os seus olhos carregados de intenções. Hoje, quando lembro disso, sinto vontade de me masturbar.

Na casa americana de classe média, selecionada pelo Rotary Club para reproduzir o meu mundo de cá, eu era o que eu sempre fingi ser, o menino inocente, bonitinho, branquinho, lisinho, e com outros disfarces necessários às minhas fantasias, que naquela época estavam apenas despontando. Talvez eu ainda fosse realmente um menininho. Pouco tempo depois dessa viagem as minhas perversões se tornaram incontroláveis.

Na França, eu personifiquei como ninguém a alma do estudante pobrezinho e, claro, do moço correto. Hospedei-me, como já comentei, na casa da Mademoiselle Telier, uma tunisiana solteira, que ao cair da noite se largava num sofá, lânguida num pijama azul, exalando cheiro de sexo, de vagina molhada, escorrendo pelas coxas abaixo. Eu já não contava com os mimos da mãe de família carente americana. Mademoiselle Telier fazia o tipo durona, se regozijava em me dar ordens, eu obedecia servilmente, excitado como um fauno. Já não estampava o rostinho de quinze anos, mas ainda possuía a imagem romântica de estudante inteligente e livre, que procura um lugar no mundo.

De Nova Iorque ficaram poucas imagens; as mais fortes transformaram-se em onze estudos musicais, que mandarei para você, tão logo eu chegue a São Paulo. Desconfio que sejam composições ordinárias, sem nada a ver com os sentimentos que relato, mas as escrevi sobre a mesa do luxuoso Hotel Meridian, na 57ª rua. Na entrada do hotel havia um corredor descomunal, abóbadas sobre pilares, tudo revestido com espelhos. Ao passar por ele, tinha convicção de que fora criado para pessoas que se julgam ricas, belas, ou jovens. Só essas podiam atravessá-lo sem a humilhação que o capitalismo impõe a quem é feio e pobre. Eu desejava morrer debaixo dos espelhos de dez metros de altura, coberto pelas abóbadas que mais pareciam obras de Deus. O meu desconforto era tamanho que cheguei a perguntar na portaria se existia um outro caminho que não passasse pelo corredor. No elevador, filmes mudos numa tela de cristal líquido. A mesa do quarto dava para uma vista sombria, um edifício altíssimo. Enquanto meu oponente dormia, eu observava nas inúmeras janelas as pessoas se movimentando em escritórios. Quanto dinheiro não deveria correr ali?

Por ironia, eu comprara no aeroporto um romance que um amigo recomendara. Quando vi uma bunda ou algo parecido na capa, peguei na hora. Todas as noites, e algumas vezes à tarde, eu era chamado à cama do francês. Aquele ser meticuloso baixava minhas calças até os joelhos e me fazia gozar. Depois eu ia para a banheira, pegava o livro e começava a ler. A história me parecia familiar, um cara vagando em Londres, com pouco dinheiro, mas numa situação melhor do que a minha. Pelo menos ele estava livre para vagar nas ruas, ir para a cama com quem topasse. Eu só podia ir até a banheira. Nunca me afastava da prisão luxuosa. Visitei um amigo que mora ilegalmente na periferia de Nova Iorque, numa casa miserável. Ele possui uma família e me apaixonei pelo filho de sete anos, um menino que pulava no meu colo e me chamava *dad*.

    Tento escrever sobre o que é sentir-se estrangeiro. Em Paris deparei com o cheiro do meu próprio suor, mais forte pelo peso das malas, e sensações de abandono. Quando vou narrá-las, são enfadonhas, menos as que tratam de sexo. Meu cotidiano nesses lugares não diferiu de cada segundo que vivi no Brasil, se considero meus desejos e carências. O mesmo rapazinho, atrás das mesmas experiências, em outro idioma e local. Minha bagagem era essa agonia, uma insatisfação que a família desconhece. Percebi melhor esse desespero nas viagens recentes, sobretudo na que fiz à França, onde conheci Jean-Luc. O Brasil está na moda, disseram-me todos os brasileiros com quem cruzei por lá. Está mesmo, pelo visto. Mas pobreza nunca está na moda. Passei boa parte do tempo sozinho, andava nos lugares e sentia nuanças de preconceito em relação aos imigrantes. Sobretudo em Nice, cidade pequena e aburguesada, onde permaneci dois meses. Notava a segregação dos africanos, que têm bairro próprio e sentam aglomerados nos ônibus. Vi muitos estrangeiros mendigando na França e nos Estados Unidos. Não imaginava que existia essa realidade. Dói muito mais ver um brasileiro pedindo esmolas em Paris do que numa esquina de São Paulo. Ele arrisca tudo para melhorar de vida, acredita que lá fora será mais fácil, e quebra a cara.

    Existe uma perigosa atração da Europa pelos africanos e latinos. Os sociólogos acham que os europeus sentem-se culpados pelos desmandos da colonização. Mas eu acredito que essa atração é sexual, um poder do colonizador sobre o colonizado que se estende ao corpo e à alma. A catequese religiosa usou os mesmos métodos perversos da sedução e do medo do inferno. Por isso a Igreja e o Estado atuavam juntos. Foi na França que conheci Jean-Luc, que ficou fascinado por mim, e que já tinha caído em armadilhas semelhantes com garotos da Tunísia e do Marrocos, outros colonizados.

    No quarto lúgubre em que fiquei na França, os fantasmas que me perseguiam eram antigos, não passavam de memória. A sensação de exílio, duvidosa, porque não precisava estar fora de casa para experimentar o mesmo desconforto, a solidão e a procura. Era um exílio fugaz, uma paisagem enxergada pela janela de um trem-bala, um orgasmo que se desfazia num instante, e de novo eu me sentia num trem de São Paulo. Acontecia nos encontros momentâneos com o distante. Ou durante as horas em que caminhei pela orla de Nice. Achava estranho existir uma praia que lembrava o litoral da Bahia, mas que no lugar de areia branca possuía pedrinhas e mais pedrinhas. Uma metáfora para mim: a praia de sempre, mas numa combinação inteiramente nova. O exílio provoca saudade nas pessoas. Eu gostaria de sentir saudades do Brasil, mas em vez disso sofri apenas de melancolia e carência sexual.

    Fiz duas viagens secretas, uma a Sevilha e outra a Amsterdã. Apenas as pessoas que me convidaram sabem delas. Todos os acertos se fizeram pela Internet. Eu mal completara dezoito anos, mas desde os dezesseis possuía contatos. Cada uma das viagens me deu uma sensação diferente de exílio, pelos lugares e pela companhia de um homem apaixonado, cheio de expectativas. Eu supunha os rituais que me esperavam em quartos de hotéis, as cenas em que atuaria. Pagava passagens, hospedagem, alimentação e pequenos presentes com os favores que você imagina. Mas eu lhe juro que tirar a roupa me doía menos do que a incerteza sobre o exílio. O que me oprime numa viagem é a indefinição do que vou sentir. Encanto, euforia, tristeza? Tudo ao mesmo tempo. Contemplo um território desconhecido, mas o meu corpo é o mesmo, e ele mantém a referência de uma paisagem interna, que prevalece; é tão absoluta que não posso olhar nada sem comparar com essa memória residual. Durante as duas viagens, sentia-me uma escultura fora de seu museu de origem, em exposição itinerante por outras galerias, deslocado, sem foco.

    Sempre imaginei histórias eróticas para ficar excitado. Com treze anos, eu me trancava no banheiro e rabiscava sacanagens no papel higiênico. Só dessa maneira conseguia me masturbar. Filmes pornôs e revistas de sexo não faziam o menor efeito em mim. Evoluí tanto nas minhas fantasias que já não gozava com gente comum, de carne e osso. Brochava toda vez que tentava. As historinhas ganharam força, tornaram-se vício. Com dezesseis anos comecei a praticar o hábito na internet. Lá existem pessoas com todos os desvios e taras que se possa imaginar. Cada uma delas busca atingir o limite máximo de suas fixações eróticas. São tantas as depravações que eu me sentia menos envergonhado com as minhas.

    Como esse universo tinha a ver com a minha predisposição à fantasia sexual, ele se tornou magnético. Depois de entrar uma primeira vez, e encontrar mil pessoas querendo fantasiar comigo, comecei a bolar histórias cada vez mais pesadas, infindáveis, que me excitavam durante longos períodos. Uma droga. O prazer se tornou compulsão, uma alternativa à vida que eu levava com Guilherme. Quando tentei parar não consegui, estava viciado. Toda compulsão vive de um pagamento adicional. Embora fosse uma necessidade mórbida, eu sentia prazer com aquilo. E ainda sinto.

    Desde os dezesseis anos, muita gente passou pelos meus braços simbólicos. Assim eu traía Guilherme. Era o único recurso ao meu alcance para fazer sexo, e para livrar-me do que chamam amor. Quando Guilherme entregou-se à mulher dele, e já não dependia de meus cuidados, senti-me livre. Conheci um homem chegado a garotos, que se apaixonou por mim. Era o dono de uma escola multinacional de idiomas...

Senti náusea e não consegui ler o resto. Davi gozava com nossas caras, ria da farsa que alimentamos. Até mesmo eu, que sempre suspeitei de tudo, mas fingia acreditar nas histórias do primo, porque era mais cômodo. Não é fácil opor-se aos mitos familiares. Mais fácil é dizer sim a tudo.

Lourenço

Durante a noite soprava o vento Aracati, aliviando o calor. E também à noite aumentavam as sombras e os receios. Sem a luz forte do sol, as paredes e os móveis da casa do avô adquiriam outra textura e significado. Nossos tios se revezavam junto ao enfermo, contando histórias que ajudassem passar o tempo. Raimundo Caetano já não se interessava pelos jornais da televisão. De olhos fechados, nem sei se ouvia o que os tios narravam, um após outro, como num desafio. Eu escutava Natan, convencido de que apenas em lugares como aquele a memória ainda significava poder e honra.

  — Lourenço de Castro, um primo do avô de vocês, foi arrancado do fogo quando Otaviano Teixeira incendiou a casa do monte Alverne, para executar uma vingança. Só Lourenço escapou à chacina em que mataram seu pai, Bernardo de Castro, seus dois irmãos, uma irmã e mais três empregados. Francisca, a mãe de Lourenço, morrera de parto dois anos antes da tragédia. Se fosse viva, certamente sofreria o mesmo destino da família. Otaviano Teixeira, que perdera um olho brigando com Bernardo, avistou o menino no meio das chamas, e contra seus princípios resolveu salvá-lo. Se soubesse quanto pagaria caro por essa fraqueza do coração, deixaria o menino queimar vivo, sem dar-lhe um tiro de misericórdia. Otaviano e a família refugiaram-se no Piauí, temendo a justiça, e Lourenço foi criado como filho, até o dia infeliz em que soube a verdade.
  Francisco e Antonio de Castro, os dois irmãos homens de Bernardo, se pensaram em vingança, logo esquece-

ram o propósito. Não estimavam o irmão, e temiam seu gênio arruaceiro.

Lourenço aprendeu a montar cavalos, derrubava gado como ninguém, era valente, e possuía uma graça que poderia ser defeito: gostava de cantar e fazer versos. Otaviano Teixeira amava Lourenço mais do que a própria vida, e mantinha a esposa e as duas filhas sob jura de nunca revelarem o segredo de sua origem. Lourenço era bonito, e tinha consciência disso. Numa tarde em que pediu a uma das irmãs para cortar seu cabelo, Lourenço escutou-a responder que não era sua criada, nem irmã.

Por um motivo que desconheço, um germe de rejeição ocupa a mente de todos os filhos adotados. Lourenço, que nada sabia até então, reconheceu que a irmã falava a verdade, e sentiu-se um pária dentro da família. Quando procurou o falso pai, exigindo que lhe revelasse sua origem, Lourenço escutou de Otaviano que a irmã falara com despeito, e que seria castigada e pediria desculpas. A semente da desconfiança fora plantada, e no terreno fértil onde se planta, nasce. Lourenço já não se sentia um filho, e até a bênção deixou de pedir a Otaviano. As duas moças foram enviadas para a casa de uns parentes, mas o mal não se remediou. Lourenço não dormia, não comia, e deu para escrever os versos, que antes apenas cantava. Tornou-se leviano. Deitava com as moças em quem botava os olhos, pois nenhuma resistia a ele.

Chegou o desfecho da história, pois desgraça atrai desgraça. Uma das moças abandonadas tomou veneno e matou-se. Nada de mais, se não fosse filha de um parente com quem Otaviano Teixeira chacinou a família Castro. Vicente Teixeira, o pai ultrajado, resolveu vingar-se da melhor forma; contou a verdade a Lourenço. Não omitiu um detalhe da história. Disse a Lourenço seu lugar de origem, a família a que pertencia, os nomes dos parentes. O rapaz escutou calado, e depois sumiu. Embrenhou-se nos matos, e nunca mais foi visto.

Viveu escondido um bom tempo, passando fome e sede, assaltando e roubando. Desprezava o sofrimento, e um de seus versos cantava assim: *Prolongo a fome até matá-la, desprezo a lembrança dela, e a esqueço*. Foi nas caatingas e descampados, andando sozinho sem destino, que tomou a decisão de matar seus pais adotivos, as irmãs e os parentes do seu pai verdadeiro, até completar o número dez. Não perdoava os tios Francisco e Antonio de Castro, pois deixaram que fosse criado por outra gente que não a sua parentela.

Nas terras do Piauí ele matou a conta exata de cinco: Otaviano, a mãe, as duas irmãs adotivas e Vicente Teixeira. Reservou os cinco dedos da outra mão para a família dos Inhamuns. Não distinguia homens de mulheres, como não distinguiram os seus quando os mataram. Queimava a pele debaixo do sol, mas sentia desprezo pela dor. Dizem que se tornou feio e repulsivo.

Quando seus dois tios souberam que ele vinha a caminho, temeram pela vida. Lourenço era um inimigo perigoso porque matava de emboscada, e com qualquer arma. Em poucos dias matou Antonio e Francisco a tiros, e a pauladas os dois filhos mais velhos de Francisco. Restava apenas um sentenciado de morte para completar a conta de dez, quando foi agarrado pelos primos. Não quiseram tirar sua vida, seria brandura depois do que fez. Quebraram suas pernas e deixaram que morresse lentamente, sem comida e sem água, debaixo de sol e chuva.

Lourenço resistiu um mês nesse sofrimento, e até a hora em que expirou nunca emitiu um gemido. Depois de morto, lhe negaram cova. Apodrecia no meio do terreiro, pra que todos o vissem e os urubus comessem. Nosso pai viajou ao monte Alverne, e pediu para enterrar Lourenço. Apelou para os laços de sangue, relembrou o infortúnio do rapaz e os motivos da sua vingança. Os parentes enxotaram o pai, como se enxota um cachorro. Lourenço continuou insepulto, sem cumprir a promessa que fizera.

Até o dia em que chegou um dos filhos de Antonio de Castro, vindo de longe para saciar o ódio. Ao ver o resto de Lourenço, cuspiu em cima e chutou-o com um pé. Uma felpa de osso penetrou em sua carne e provocou uma infecção grave, que o matou em poucos dias. Assim Lourenço cumpriu o juramento, e nos legou essa história.

Natan conclui a narrativa, pigarreia, passa os olhos pela plateia silenciosa e encara o filho Ismael. A luz quase apaga, após relâmpagos e trovões. Sentados em torno do avô, esperamos a chuva cair.

Apesar da angústia que me sufoca, reconheço o talento de nosso tio. Todos os homens da família possuem as qualidades dos narradores. Cada um inventa seu jeito próprio de narrar, os movimentos de corpo, inflexões de voz, pausas e ritmo. Mas todos revelam um traço em comum: o magnetismo que fascina e arrebata.

Continuamos suspensos nas últimas palavras de Natan. O avô, de olhos fechados, ausentou-se do círculo mágico. Tio Salomão, sentado ereto, folheia as páginas da Escritura Sagrada. Aparenta incomodar-se com a narrativa do irmão, e com o estrago que os anos fizeram no livro do avô. Tio Josafá, de quem esperávamos o socorro de uma brincadeira, nem liga para nós. Deixa ficar a atmosfera pesada. Mais para fora desse pequeno círculo, Davi e Elias escrevem nos computadores, alheios à nossa emoção. Num círculo de raio mais longo, minhas tias recostam-se à parede. Desejam ser abduzidas da sala, para um lugar onde nunca mais escutem o eco dessas histórias. Amam as cidades e seus deleites. Quando foram embora da Galileia, bateram a poeira das sandálias. Nunca mais voltarão ali, depois que a mãe e o pai morrerem.

No quarto círculo, debaixo do arco da porta, Tereza Araújo escuta atentamente. E no mesmo traçado de linha, debruçados em janelas, os dois rapazes negros Esaú e Jacó também escutam. Não sei o que pensam, nem o que diriam se ousassem falar.

A avó Raquel marca presença pelo som da televisão a que assiste. Os ruídos estranhos aos círculos da sala lembram um coro dissonante, interferem na frequência de minha escuta. O corifeu Natan conta uma história, a claque da televisão ri, vozes se agitam, gritam, choram. As vibrações sonoras disputam espaço. Quem se impõe nas alturas? O avô quase morto? A televisão da avó?

Lembro a lição do catecismo memorizada na infância:
— O Pai é Deus?
— Sim, o Pai é Deus.
— O Filho é Deus?
— Sim, o Filho é Deus.
— O Espírito Santo é Deus?
— Sim, o Espírito Santo é Deus.
— Então são três deuses?
— Não, são três pessoas distintas e um só Deus verdadeiro.
Por que nos ensinaram esses absurdos? Por que nos mantiveram sob o terror de um Deus autoritário como o avô e os tios?
Natan fala com pausas ensaiadas.
Os ruídos de um comercial preenchem o silêncio de cada pausa.
Quem fala mais alto?
Natan cala.
A avó Raquel aumenta o som da televisão.
Natan se levanta.
Salomão e Josafá se levantam em seguida.
Tento abstrair a televisão. Escuto os teclados dos computadores e, acima de todos os chiados, o vento Aracati. Ou será o Terral? Nunca sei. Não tem a menor importância. É vento.
As tias indagam o céu pela janela.
Já que o avô não se manifesta, o direito de fala pertence a Natan, o filho mais velho. Será que conseguiremos ouvi-lo? Maria Raquel eleva o volume da televisão a uma altura insuportável.

— E ele?

Natan me pergunta pela saúde do pai e percebo que já tivemos essa mesma conversa outras vezes.

— Não sei responder, é imprevisível.
— Mas...
— Tanto pode ser agora como daqui a um mês. Vamos conversar lá fora, o avô escuta o que falamos.
— Davi e Elias vão embora, amanhã. E você, Adonias?
— Ainda não resolvi, tio.
— Fique!
— Não posso. Tenho minha família e o trabalho.
— E seu avô?
— Esaú e Jacó cuidam dele.
— Desde quando Esaú e Jacó são médicos?
— Já falei o que penso sobre o avô, mas ninguém aceita. Ele escolheu morrer em casa, do jeito que todo mundo morria antigamente. Respeitem a vontade dele.

As tias abandonam a sala. Elias, que não tirava os olhos do pai, larga o computador por alguns minutos e entra na conversa.

— Eu trago meu helicóptero.
— Elias, o avô não vai subir aos céus de helicóptero.
— Primo, você nem parece médico. Só pensa em deixar o avô morrer.
— Pergunte você mesmo o que o avô deseja.

Salomão e Josafá se retiram. Os dois rapazes Jacó e Esaú desaparecem da janela. Elias junta seus papéis, fecha o computador, pede a bênção ao pai e também vai dormir. Choram na televisão da avó. Escuto a palavra perdão, repetida três vezes.

Natan se dirige ao filho rejeitado.

— E você, rapaz, fica até quando na Galileia?

Ismael se levanta da rede em que esteve sentado durante a noite.

— Não sei ainda. É possível que eu fique mais tempo.

Natan vira as costas, e sai. Tereza Araújo continua de pé, sob o arco da porta. Tento imaginar seus pensamentos.

Maria Raquel

Todos dormem. Até o avô conseguiu uma trégua de sono, depois da medicação que lhe dei. Os tios recolheram-se em suas casas, as tias aos quartos e Ismael deitou-se na rede, ao lado de minha cadeira. Davi me chama à porta, entrega-me um envelope pequeno e pergunta se eu li os papéis que me entregou. Respondo que não tive tempo ainda. Minto para não conversar com ele, pois não suportaria ouvir outros enredos amorosos. Ainda nem digeri as loucuras que o primo escreveu. Enfio o envelope no bolso da calça, volto para junto do avô, mas quando Davi abandona a sala rebelo-me contra minha inércia, a passividade com que sempre o deixei atuar. Corro atrás dele e o alcanço próximo à casa de tio Salomão. Nuvens pesadas cobrem o céu, ameaçando chover. Estamos sozinhos no descampado dos terreiros, o mesmo cenário onde assisti à cena que tanto me impressionou. Falta apenas o refletor do sol para nos iluminar. No escuro, avisto a silhueta franzina do primo.

— Davi! — chamo de longe.

Ele se vira e espera que eu me aproxime. De perto, reconheço o rosto inocente, que já não me comove.

— Adonias, você abandona a cabeceira do pai?

Controlo-me para não arremessar outra pedra, desta vez sem arrependimentos.

— Dispenso suas brincadeirinhas, primo. Sempre suspeitei que você mentia para nós, que ria de nossa cegueira.

— Por que a confissão fora de hora?

— Porque cansei de fingir. E pare de representar comigo. Esqueceu os papéis que me deu pra ler? Quer que eu mostre a carta a seu pai?

Davi avança sobre mim. Acho que vamos nos atracar, rolando pelo chão de pedregulhos. Mas Davi nunca brigou dessa maneira, nunca trocou tapas comigo, nem quando éramos crianças.

— Mostre, Adonias. Todos vão dizer que escreveu a carta com inveja de mim. Ou pensa que alguém acredita no que fala? De quem você descende? Você é um filho da mãe, um herdeiro sem nenhum valor. Nem confiam que é médico. Olha o avô morrendo e deixa morrer.

— Você não compreende nada, merdinha. Eu deixo o avô morrer porque ele deseja morrer.

— Que estranho!

Retoma a postura inocente, o riso com que nos mantém enganados. Um relâmpago nos ilumina e o barulho de um trovão abafa minha fala. Recomeço.

— Eu li suas porcarias. Aquilo tudo é verdade ou você também inventou?

— O ficcionista da família é você, primo. Só espero que escreva melhor do que fala. Tem horas que parece um tio velho dando conselhos, igualzinho ao meu irmão índio. Isso é um defeito genético, tente se corrigir.

Eu mereço ouvir aquilo, pois também alimentei a serpente. Sempre agi como se não desconfiasse das imposturas do rapaz. Agora, procuro um caminho para derrotá-lo, mas encontro as porteiras guardadas. Percebo, sem remorsos, que matei a pessoa errada. Davi era quem merecia uma pedrada na testa, igual ao pastor Abel, o bonzinho que sacaneava Caim para agradar a Deus.

— E seu irmão? — pergunto para provocá-lo.

— Qual deles? Possuo dois.

A cada resposta Davi me confunde mais. Eu só enxergo uma saída para o impasse, avançar em cima dele e moê-lo a pau. Com muito esforço me seguro.

— Ismael.

— Ismael? O que tem ele?

— Você sabe. Quando vai dizer a verdade?

— Ah, sim! Leia minha nova carta.

— Tem mais porcaria?

— É uma declaração de amor. A propósito, você precisa confessar a Ismael sua paixão por ele.

— E se eu quebrar sua cara?

O primo dá uma risada alta, no instante em que acendem luzes na casa de tio Salomão. E sem que me dê conta, segura minha cabeça e me beija na face.

— Puto! — grito enquanto ele entra na casa. Alguém fecha a porta e apaga as luzes. Fico um tempo paralisado e depois volto para junto do avô.

Sento-me numa cadeira, estiro as pernas, busco apoio para a cabeça. Não encontro sossego. A cadeira é desconfortável, não acolhe meu corpo. Como é austero o mobiliário sertanejo. Não existem curvas nos móveis, apenas ângulos retos. Tudo é feito com madeira, tiras de sola e couro cru. Nenhum estofado ou almofada que nos acaricie. Somente as redes envolvem e aconchegam. As casas e seus objetos provocam aspereza e tensão. O poder masculino dita as normas do desconforto, ninguém relaxa nem se entrega à preguiça. Sentamos empalados em cadeiras eretas. Por que as mulheres permitiram essa tirania? Sinto falta de cores alegres, curvas e sinuosidades femininas. Nossas mães e avós sujeitaram-se aos caprichos desses monges, que transformaram os aposentos em claustros, os quartos em celas, as casas em mosteiros. Investigo pistas do feminino camufladas em jarros de flores, louças de barro pintadas à mão, caramanchões de buganvília. Pequenos sinais de mulheres silenciosas, aparentemente submissas, explodindo aqui e acolá em toalhas bordadas, redes com marcas de ponto de cruz, cortinas de franja, panos e colchas.

Raimundo Caetano espera a morte ao meu lado, e brinco de quebra-cabeça com os sinais das mulheres. Procuro por eles onde meu avô reinou absoluto. Dez passos à minha frente uma arca descansa seu peso imóvel. Há quantos anos está ali? Desde que construíram a casa. Nunca olhei o que havia dentro, mas presenciei o avô retirando dela os apetrechos com que trabalhava o couro: sovelas, agulhas, facas, cordões, tábuas, réguas e pedras de amolar. Raimundo Caetano era um exímio artesão. Ninguém bordava gibões e peitorais de vaqueiros mais bonitos que os dele. Trançava cordas, punha solado nas botas, remendava cabeçadas. Filigranas nasciam de suas mãos grossas de homem. Também nele convivia o feminino, camuflado nos gibões de couro.

A cadeira me derrotou. Fico de pé, ando pelo quarto, temeroso de acordar alguém. Elias, a esposa e os filhos partirão amanhã à tarde. Ele perguntou-me se poderia trazer *A Paixão*, de Bach, para Raimundo ouvir. Falei que sim. Não sei de nada. Tanto faz. Quero remexer na arca do avô, vasculhar seus pertences. Devem ser mais interessantes do que as tralhas de Davi. A arca do primo é o computador. Acontece uma pane e ele substitui a memória, sem nenhum remorso. Abro a arca? Nunca fiz isso, o avô não permitiria. Ela é sagrada, ninguém se atreve a tocá-la, nem para remover a poeira que escurece o verniz. Davi escancarou sua arca, entregou-me as confissões das loucuras que pratica, sem nenhum pudor. Li apenas a metade das páginas, porque me envergonhei de conhecer as misérias do primo. É melhor para a família imaginá-lo apenas um músico.

"Não descobrirás a nudez do teu pai, nem da tua mãe."

O avô lia em voz alta as proibições do Levítico.

"Não descobrirás a nudez do teu irmão."

Raimundo Caetano está quase morto; nada me detém. Levantarei a tampa da arca. Caminho os dez passos contados que me separam dela. E se as dobradiças rangerem com o peso da madeira? Há anos ninguém as lubrifica. Se as dobradiças rangerem, por conta do atrito da ferrugem, Raimundo Caetano acordará e me perguntará por que violo o que é sagrado.

— É sagrado apenas porque pertence ao avô? As folhas com as confissões de Davi também são sagradas?

— Ainda nem morri e vocês já chafurdam no que é meu?

— Juro, avô, não toquei em nada! Sempre estive a dez passos da vossa arca. Nunca levantei a vista para ela, com medo de cegar. Nem saberia descrevê-la, dizer quantos compartimentos possui. Tudo por temor a vós, por receio da vossa ira.

Trato o avô da forma mais respeitosa, como se tratavam os reis e os sacerdotes, como ele gostaria de ter sido tratado.

— Juro que não vou tocá-la — reafirmo.

E recuo os dez passos, de cabeça baixa.

— Mas agora que baixei a cabeça, desejo contemplar as três gavetas inferiores, dispostas uma ao lado da outra, austeras com seus puxadores de ferro.

São três gavetas de mesmo tamanho, iguais na aparência, como o sono prolongado de Raimundo Caetano e Ismael. Em todos os anos que frequentei a casa, desde que nasci e engatinhei no chão de tijoleiras, nunca reparara que existiam. Puxo as duas laterais, olho para dentro delas, mas não consigo enxergar quase nada. O que são aqueles objetos misteriosos, camuflados pela sombra? Tateio, imaginando formas. Meu coração dispara. Fecho as gavetas com cuidado e puxo a do meio. Está vazia. Percorro seu interior com a mão espalmada. Percebo que é menos funda que as outras. Tateio, meço. Por fora parecem iguais. Tento arrancá-la para fora, com receio de despertar a casa e os mortos da Galileia. Ajoelho-me, rezo para conseguir desprendê-la. Se Ismael me visse, não aprovaria o que faço. Mas ele dorme, e a gaveta já descansa nas minhas coxas. Eu a examino e descubro que possui um fundo falso. Removo a tábua sem dificuldade e encontro dois álbuns de capa dura. Uma das capas é verde com letras douradas; a outra é preta, e nada está escrito nela. Achei os livros da avó Raquel, onde ela guardou a escrita da fala de Tobias, a sentença sobre nosso destino.

Os livros fedem a mofo. O clima seco do sertão não impediu os estragos do tempo, as páginas grudam umas nas outras, mal consigo soltá-las. Desenhos de bordados se revelam na pouca luz da sala. Passo ao largo desses tesouros, em busca de outros. Na letra redonda e firme de Raquel, anotações escritas com caneta-tinteiro. Contas de manteiga, queijos e ovos, nomes de devedores e credores. Onde existe um espaço em branco a avó escreve. Entre os arabescos dos bordados, ela soma e multiplica números, como se não existissem outros papéis na casa. Datas de menstruação, aniversários, pensamentos, provérbios, charadas. E pequenos desenhos criados por ela, reproduções de bordados que o livro não traz impressas. Os álbuns se revelam dois diários. Guardada num envelope, uma flor seca e marrom, que teria sido um jasmim branco. Presente, talvez, do namorado Raimundo, numa noite de festa, quando entre eles ainda era possível ternura. Toco a flor com a ponta dos dedos, temendo desfazê-la. Levo o envelope ao nariz, aspiro, mas o perfume que um dia existiu se esvaíra.

— Não cheira mais! — exclamo numa voz sonâmbula, de quem traz o coração apertado.

O avô ressona alto. Se ele me visse bulindo nos livros, me obrigaria a devolvê-los ao lugar onde sempre estiveram. De quem eram os cachinhos de cabelo, atados por linha? E que roupas impressionaram a avó Raquel a ponto de fazerem-na guardar amostras do tecido? Tudo tão cuidadosamente disposto entre as páginas, obedecendo a uma ordem cuja importância nem mesmo a avó deveria lembrar. Mais bordados de geometria complexa. Por quantos desses Maria Raquel aventurou-se na máquina trazida de longe? Descubro uma avó que nunca conheci antes, fechada numa gaveta de fundo falso, protegida por armadilhas como a aranha por suas teias. Um papel de cigarro ainda conserva o cheiro forte de fumo. O avô fumava desde os catorze anos. Mais números; a data em que a filha Noêmia foi concebida — uma noite de amor especial, pois a avó registrou-a ali.

E a foto que nunca vi igual, em nenhum dos álbuns da família. Raquel sentada numa cadeira, os joelhos dobrados para trás, os pés descalços apoiados nas pontas dos dedos. O vestido arregaçado nas coxas cobre apenas a metade das pernas. Raquel olha para frente, um riso aberto, os cabelos repartidos ao meio, presos atrás das orelhas. É tão linda a visão que meus olhos demoram a enxergar o avô logo atrás, vestindo um paletó claro, o pomo de adão sobressaindo no pescoço, o bigode fino, o riso de quem posa para foto. Por que a avó escondeu o retrato? Por que fez questão de aparecer de pés descalços, como as suas antepassadas jucás? O retrato impressiona por esse detalhe acintoso, como se os pés descalços rissem das pessoas que olham para eles. Nunca saberei o motivo de Maria Raquel ter escondido aquele instantâneo de felicidade apenas dela e de mais ninguém.

Giro a cabeça, olho se Ismael e o avô me espionam. Percebo que repeti esse gesto muitas vezes enquanto revirava as páginas dos livros. Temo ser descoberto pelos guardas adormecidos. Quando era menino, escutava histórias sobre dragões que, de olhos abertos, dormiam, e de olhos fechados, vigiavam. O avô respira com dificuldade, Ismael ressona na rede, e Raquel também dorme. É o que suponho, porque a televisão foi desligada. Refaço o boletim médico, o monitor cardíaco não disparou o bip, posso contemplar mais uma vez os pés descalços da avó. Os pés machucam meu coração, não suporto a dor. Devolvo os livros ao esconderijo onde sempre estiveram guardados. Não me interesso em procurar o papel escrito com a fala de Tobias. Nem mesmo se tivesse certeza de que o papel existe. A avó que morra com o segredo dela, com os pés descalços, o riso provocante. Morram todos, vão para o inferno, enterrem o passado que me acovarda. Bato a gaveta com força, corro para o alpendre, agarro-me a uma viga para não cair. Tomo consciência de minha histeria. A psicanálise funciona. Calma! O que posso fazer? Choro.

Abraçam-me e é Ismael, o dragão desperto. Não enxergo nada, mas só ele abraça desse jeito, aperta minha cabeça, toca meus cabelos e diz:

— Primo, não chore!
— Está tudo perdido.

Não sei o que está perdido. Falo por falar, preciso dizer alguma coisa que justifique o pranto, não posso revelar que choro pelos pés da avó, ninguém compreenderia minha insanidade, nem eu mesmo.

Ismael tem a cara de bobo e é melhor do que todos nós. Melhor em quê? Não sei, não raciocino, minhas razões pifam, o sistema analítico entra em pane; processarei Freud, quero meu dinheiro de volta. Não suporto ser igual a Ismael. Sei que ele também choraria vendo os pés descalços da avó, por razões diferentes, talvez por se lembrar da mãe índia. Davi torceria o nariz com desprezo, diria que o povo dos Inhamuns merece o atraso em que vive, pois ainda nem se acostumou a calçar sapatos.

— O quê? — pergunto em voz alta e não obtenho resposta.

Ismael embala meu corpo, achando que enlouqueci de vez. Entrego-me aos cuidados dele, mal reparando que saímos para o terreiro, que estamos a céu aberto, espionados pelas estrelas da Galileia. Dois homens em pé na noite escura do sertão que amamos sem compreender, um morto carregando um vivo. O morto sou eu. Ismael canta baixinho, na língua kanela. Não sei o que as palavras significam, não importa, elas me acalmam. Sinto-me embriagado, deixo o tempo escorrer sem resistência. Desperto de vez, me solto, recuo.

— Ismael, vá embora! A Galileia não é lugar pra você.

— Cansei de ouvir isso, Adonias. Fale outra coisa.

— Eu vou embora daqui.

Retorno ao interior da casa, com vergonha do meu descontrole. Preciso voltar ao Recife. Aperto o celular, guardado no bolso. Joana ainda está acordada, mas o telefone não funciona.

— Joana, me salva!

A luz de um relâmpago ilumina a casa. Em seguida escutamos um trovão forte. Cai uma chuva violenta. Penso em Ismael, do lado de fora. Ele gosta de se molhar. Há muito tempo perdi a inocência de me banhar na chuva.

Raimundo Caetano

O avô abriu os olhos e respira tranquilo. As luzes da casa foram apagadas, restando apenas a claridade de uma vela acesa junto aos santos. Imagino que Tereza Araújo tenha tomado essas providências enquanto me ausentei. Apesar da luz pouca, enxergo bem. Venho de um lugar mais escuro.
— Adonias?
— Sou eu.
— Você não vai dormir?
— Mais tarde, vovô. Agora, estou sem sono.
— E Ismael?
— Lá fora na chuva.
Sento-me na cadeira. Evito olhar a arca, com medo de não resistir à tentação de abrir a gaveta novamente.
— Adonias!
— Diga, vovô!
— Lembra meu cachorro, o pastor?
— Lembro, sim. Senti falta dele, quando cheguei.
— Ele morreu.
— Que pena! Foi o cachorro mais bonito que conheci.
— Tinha quinze anos. Viveu muito. Adoeceu e só resistiu três dias. Não comia e vomitava sangue. Olhava pra mim com uns olhos tão tristes. Se eu soubesse que ele não se curava, teria aliviado o sofrimento dele.

Acendem uma lâmpada num dos quartos, e logo a apagam. Tereza Araújo vem perguntar se precisamos de alguma coisa e vai embora. Tereza não dorme nunca, passa a noite vagando feito uma sonâmbula. Os primos dizem que ela procura os filhos.
— Adonias, eu quero morrer.

— Eu sei, vovô.

— Não deixe que Natan e Elias me levem para um hospital. Eles mandam me trancar numa UTI, pra não me verem morrer.

— É verdade, vovô.

— As pessoas e os médicos não aceitam a morte.

— Os médicos querem prolongar a vida dos pacientes. As famílias cobram isso.

— Salomão e Josafá me entendem.

— Mas não têm coragem de enfrentar tio Natan.

Ouço passos em volta da casa. O vento sopra com força. Mesmo assim o calor não diminui.

— Adonias, eu não tenho futuro.

Deixo o avô falar. Sei dele através dos outros, nunca falado por ele mesmo.

— Agora que vou morrer tudo é mais fácil. Enquanto é possível lutar, lutamos. Quando não é mais possível, entregamos os pontos.

— O senhor entrega os pontos.

— Não posso desfazer o que fiz. Gostaria, mas não posso. Meus erros continuarão depois de minha morte.

— E se falarmos de outra coisa?

— O rancor de sua avó, a amargura de Tereza... Se eu vivesse por mais dez anos eles não se apagariam.

— Dez anos é muito.

— Não pra esquecer.

— Pra esquecer?

— Morro, sou posto de lado e não atrapalho o avanço do tempo.

— Mas o tempo avançou, mesmo com o senhor vivo. Eu, Ismael, Elias e Davi somos a prova disso.

— Elias possui um helicóptero e um computador. Quem sou eu pra comparar-me a ele? Só possuo meu nome.

O avô recebia a visita da saúde, uma lucidez calma que precede a morte. É comum os pacientes evoluírem graves e sem esperança de cura por dias e meses. De repente, apresentam melhora, enchem a família de esperança. Um anjo abre as portas da casa, deixa que o sol entre pelos aposentos, afugenta as sombras. A vida do enfermo adquire brilho. O sabor dos alimentos retorna, o olfato se aguça. Até o sexo renasce; ondas de excitação aquecem o púbis. Depressa como chegou, o anjo de luz vai embora. O anjo escuro volta para junto do doente. Saíra de férias, por pouco tempo, e agora cobra o seu lugar de volta. Brincalhão, ele permite que suas vítimas experimentem uma última vez os prazeres da vida.

— Você vai embora, Adonias?

— Vou, mas Ismael fica. Ele é o único que sonha em morar aqui, que tem planos para a Galileia.

— Ismael?

— Ele foi rejeitado, mas aceita ficar.

Jacó e Esaú não chegam para me substituir; penso em ir acordá-los. O vento faz barulho, mesmo assim escuto Ismael caminhando sem sossego, em volta da casa. O vento é mais constante do que as pessoas da Galileia; chega todas as noites, vai embora, mas retorna no dia seguinte. Nós partimos e não temos certeza se voltamos. Também o medo retorna sempre. Basta que apaguem as luzes elétricas e deixem a casa mergulhar nas sombras da noite, quando tudo muda de cor, impregnado pela escuridão. Os rostos enegrecem e os dentes se tornam mais brancos, assustam quando as pessoas falam e acham graça. Melhor se calassem e nada se movesse para não aumentar nosso medo. No escuro desejamos conversar, cercar-nos das palavras que espantam os fantasmas da morte. O avô me retém com perguntas que aumentam minha inquietação. Gostaria que me revelasse os mistérios da família e morresse aliviado.

— Adonias, será pecado desejar morrer?

— Eu não sei, vovô. O senhor é um homem religioso, sabe mais do que eu.

— Sempre rezei e temi a Deus. Memorizei as páginas desse Livro Sagrado, e castiguei meus filhos e netos com suas leis. Três anos numa cadeira de rodas me ensinaram a pensar diferente. Três anos apodrecendo abalaram minha fé. Não sou a fortaleza que pensam. Nunca fui.

— Vovô, estou com sono.

— Se você não me ouve, quem fará isso? O pior de envelhecer é que ninguém tem paciência de nos ouvir.

— Não prefere descansar?

— Quem lhe disse que os enfermos descansam?

O avô fecha os olhos e silencia. Novamente quero correr de perto dele. Não são os pés descalços da foto que me agitam, mas a confissão de uma covardia, o medo que também reconheço em mim.

— Escute uma última história, Adonias. Depois, me deixe só e faça o que bem quiser. Quando seu tio Benjamim morreu por causa de uma cirurgia malsucedida, eu me comportei semelhante ao rei Davi, após perder o filho dele. Banhei-me, penteei-me e comi uma refeição. O menino estava morto, nada mais podia fazer. Entre os muitos erros que cometi, esse foi o que mais feriu sua avó. Ela nunca me perdoou que levasse tão a sério a imitação da Escritura. Eu parecia alegre com a perda, enquanto ela gritava feito uma louca.

Sopra um vento forte e apaga a vela. Ficamos completamente no escuro. Me pergunto mais uma vez se é o Aracati ou o Terral. Nunca sei.

Adonias

Transponho de volta a fronteira dos Inhamuns, as terras secas que há muitos anos se cobriam de pastos, nação dos jucás. O sertão dos bandeirantes paulistas situava-se nas serras ou além delas, em florestas atlânticas onde eles grilavam índios, procuravam ouro, pedras preciosas, e caçavam animais de pele rara. O sertão é o Brasil profundo, misterioso, como o oceano que os argonautas temiam navegar. Chega-se a ele acompanhando o curso dos rios, perdendo a memória do litoral. Os ingleses chamam-no *backlands*, terras de trás.

À medida que me afasto desse sertão dos Inhamuns sem nunca virar-me, igualzinho fez Ló quando fugia de Sodoma, ele me transmite um apelo. Tapo os ouvidos com cera de carnaúba e fico surdo aos chamados. Se ouvires as vozes sertanejas, já não escutarás outras vozes. Melhor esquecer, seguir em frente.

O sertão é anterior ao descobrimento. Já se fundara em Creta, no culto ao touro e na arte de domar a rês. Também se fizera sentir na Arábia das Mil e Uma Noites e em Israel, com o legado da Escritura Sagrada. O Oriente e o Ocidente se juntaram nos desertos de cá. Mouros e judeus mesclados na Ibéria continuaram se misturando com outras raças de gente, gerando a estirpe sertaneja.

A Galileia e os restos da família ficam para trás, às minhas costas. Quando vim, atravessei pelo meio da noite. Engolia um tranquilizante a cada quilômetro. Faço o caminho inverso, numa manhã de sol. O mundo reluz após vinte e um dias de chuva, tempo em que me encolhi indeciso, esperando que o avô morresse, mas ele não quis morrer. Preferiu continuar vivo, empestando o mundo com seu cheiro podre.

Elias partiu com a mulher e os filhos, bem antes da invernada. Davi foi com eles. Nem se despediu de Ismael e de mim. Não importa, pois eu também vou embora.

Pela primeira vez, desde que saí do Recife, sinto-me acordado. Vi essa mesma paisagem iluminada pelos faróis de um carro. Quase tudo se escondia na noite, e meus receios não deixavam que eu enxergasse com nitidez. Agora é o sol que ilumina o rio Jaguaribe correndo com sua enchente. As águas barrentas arrastam galhos de árvores e destroços. Os matos ficaram verdes de repente. Como é possível a transformação?

O celular dá sinal. Converso com Joana. Antes da meia-noite estarei em casa. O motorista de Elias me aponta uma árvore.

— Um pau-d'arco. Conhece?
— De ouvir falar.
— Já foram muitos. Agora não tem quase nada.

Numa volta do rio meninos tomam banho. Acenam para nós, gritam. O motorista buzina. Chama-se Antônio e nasceu numa fazenda perto da Galileia. Foi morar em Fortaleza com dezessete anos. Pergunta se desejo parar. Viajamos há mais de duas horas e ainda não estiramos as pernas.

— Se quiser tomar banho, conheço um riacho bom.
— Obrigado.

Mostra-me outra árvore.

— Baraúna!

Avisto um rapaz a cavalo, uma aparição no meio do mato. Ele e o cavalo saíram do banho, a água ainda escorre dos corpos. O rapaz veste calção curto e transparente, parece nu; o cavalo no pelo, sem qualquer arreio. Lembram um centauro.

Antônio põe para tocar um forró.

O avô prefere continuar vivo. Nossos antepassados jucás comiam a carne dos grandes chefes quando eles morriam, para incorporar suas virtudes. Ou os enterravam no meio das palhoças, numa cova rasa, coberta por uma fina camada de areia. O cheiro da carne podre entrava pelo nariz das pessoas durante dias. As qualidades atravessavam as narinas, chegavam aos pulmões e percorriam o corpo nos rios de artérias. Nosso avô Raimundo Caetano conhece as histórias, não leu apenas as Escrituras Sagradas. Talvez queira ser comido num banquete, como os chefes jucás.

— Café da manhã!

Como um pedaço de bolo, uma tapioca, queijo, uma xícara de café com leite. Antônio pede carne assada, cuscuz e pão. Acho tudo saboroso; o calor, agradável.

— O senhor vai pra casa de doutor Elias?

— Não, Antônio. Vou direto pro aeroporto. Basta chegar a Fortaleza na hora de pegar o avião.

— Então, vou levar o senhor numa cidade do caminho.

— Ah, é?

Duas mulheres tangem o gado numa motocicleta. A mesma cena que vi antes agora me parece graciosa. O poder masculino cede lugar ao feminino. Antônio buzina, aceno com a mão, elas também buzinam e sorriem para mim. São bonitas. O que pensam dos homens? Com certeza já não se escondem na cozinha e nos quartos da casa, atravessam as salas, ganham os terreiros, as ruas, as cidades.

Ligo do celular para Joana; ela atende apressada, está no meio de uma consulta. Diz rindo que alguém precisa ganhar dinheiro na família; refere-se a mim, vagabundeando enquanto ela trabalha. O impulso poético brocha, falo uma tolice e desligo. E se voltássemos até as moças, e se elas topassem uma sacanagem ali mesmo no mato? Pergunto a Antônio o que ele acha. Vale a pena arriscar. Fingimos pedir uma informação, arrastamos a conversa para a frente e para trás, sentimos o clima.

— E aí, vamos mesmo?

Esfrio. Botei fogo em Antônio e agora recuo. Sou sempre assim, não vou além do impulso. Antônio avermelhou o rosto branco, é um cearense de cabeça grande e chata, corpulento, quase sem pescoço.

— Esmoreceu? Não custa nada arriscar.

Custa minha alegria frágil, ameaçada pelo perigo que desejei correr. Meu gozo duraria alguns minutos, uma excitação febril, arrepios, mãos frias e trêmulas. No transe, eu não enxergaria nada a minha frente, ansiando apenas o gozo. Depois, conheceria um sentimento de vergonha, a vontade de fugir, me esconder. Tudo fugaz, carregado de culpa. Nem seria capaz de reconhecer a mulher se a reencontrasse algum dia.

— Foi brincadeira.
— Mas que elas são gostosas, são.

Um abalo na sensibilidade. A música de forró tornou-se insuportável.

— Posso desligar? Prefiro ouvir os pássaros.
— À vontade.

Não quero o Recife. Ao lado do avô e dos parentes só pensava em voltar para casa. Agora prefiro esse espaço neutro, um caminho que me leve a lugar nenhum.

— Escutou esse?
— O quê?
— O canto.
— Que canto?
— O senhor pediu para eu desligar a música, queria ouvir os pássaros.
— Ah, desculpe! Era o quê?
— Um cabeça-vermelha.
— Não ouvi.
— Vou parar o carro. Aqui tem muito passarinho.

Repito a lição de meu pai, os nomes decorados na marra. Antônio arrasta-me para o meio do mato e ficamos escutando.

— Você conhece muitos passarinhos e árvores. Tem alguma utilidade saber essas coisas?
— Nunca pensei nisso. Conheço porque nasci e me criei aqui.

Quanto mais queimo debaixo do sol, e olho o planalto sem futuro, mais desejo não voltar para o Recife. Um bando de anuns brancos voa por cima de nossas cabeças. Antônio ficou pensativo, depois que questionei o valor de seus conhecimentos. Um carro diminui a marcha, pessoas olham desconfiadas para nós dois, e partem.

— Vamos! É perigoso parar na estrada.
— Que pena!

Sento, puxo o encosto do banco para trás, fecho os olhos e massageio o pescoço. Os músculos estão duros como pedra. Preciso relaxar. Antônio assobia uma cantiga.

Não sei quanto tempo dormi. Acordo quando o carro para na frente de uma barraca. Avisto uma dezena delas, todas cobertas de palha. Vendem mel de abelha, manteiga, queijo, passarinhos presos em gaiolas. Antônio compra uma garrafa; jura que o mel é legítimo. Destampa a garrafa, pede que eu cheire. Regateia o preço e negocia dois passarinhos, um canário e uma jandaia. Esconde as gaiolas na parte de trás da camioneta, teme a fiscalização. Ficou alegre com a compra; até esqueceu o meu pedido e solta a música de forró novamente.

— Vamos almoçar onde?
— Mais adiante tem um restaurante, junto de uma represa d'água. Cozinham um peixe muito bom. Também dá pra tomar banho.

E o avô, continuará vivo? Se tivesse morrido, me avisariam. Saí da Galileia há poucas horas, e ela já me parece distante, imaterial como a do Livro Sagrado. Repito os nomes Maria Raquel, Tereza Araújo, Salomão, Josafá, Natan, Esaú, Jacó, Noêmia, Ana, Judite, e todos ressoam imaginários como os pássaros, as árvores e os ventos. Lembro Ismael. Enfio a mão no bolso da calça e acho a carta que Davi me entregou. Desejo amassá-la, atirar pela janela. Sujará a estrada. Não faz mal que suje, é celulose, lixo orgânico. Que porcarias Davi escreveu? Um testamento antes de se matar?

— Você sempre foi motorista?

— Desde os dezoito anos, quando tirei carteira.
— E já trabalhou em quê?
— Dirigi caminhão. Andei o Brasil inteiro, transportando carga.
— Viu muita coisa?
— Vi.
— Essa conversa de que nos postos de gasolina tem criança se prostituindo...?
— É verdade. Agora mais do que no meu tempo.
— E você viu?
— Vi. Entrava menina na cabine do meu carro, que nem peito tinha. Fazia qualquer coisa pra ganhar dinheiro.
— E menino?
— Menino, também. Mas eu nunca quis. Tenho filho de menor e sei o que significa ser pobre. Com mulher adulta eu encaro.

Riu. Eu sentia um leve tremor. Podia mudar a conversa, mas deixei-o falar.

— Todo mundo sabe, os pais das crianças, os donos dos postos, a polícia. Só de vez em quando prendem algum motorista. Prenderam um na cidade do Cabo, perto de onde o senhor mora. Era um rapaz do Paraná. Encontraram uma menina de treze anos dormindo com ele na cabine do caminhão. Como ela tinha menos de catorze anos, em vez de corrupção de menores, o caso foi considerado estupro e o galego pode pegar até oito anos de cadeia. A menina está na rua desde os doze anos, já fez três abortos e esfaqueou um amante que bateu nela. A mãe também é prostituta e espancava a filha. Por isso ela saiu de casa pra ganhar a vida. A menina disse que não fazia programa com o rapaz, era amor o que sentiam. Tinham planos de morar na Bahia e casar. Até usavam aliança na mão esquerda. A menina jurou que não se arrepende de nada e que vai esperar que ele saia da cadeia.

Aumentei o som do forró. Não quero mais ouvir histórias como essa. O dia luminoso sugere outros retratos do mundo. As extensas plantações de cajueiro lembram um pomar oriental. Por que nos expulsaram do paraíso? Nunca estive no Oriente, nunca vi um pomar de romãzeiras e figueiras. Deve ser parecido com esses quintais que se estendem até perder de vista. A areia branca do chão é a mesma da praia. O vento sopra de longe. Que vento? O Aracati, o Terral? Não importa. Os cajus pendem vermelhos e amarelos, redondos e compridos, doces e azedos, coroados pelas castanhas. Se eu fosse Adão, a maçã não me tentaria. Fruta insípida, sem a carnosidade dos trópicos. O caju arrepia, sufoca; os olhos enchem de lágrimas. Debaixo da sombra dos cajueiros pode-se dormir e amar. Os cajueiros não acabam nunca, extensos latifúndios de frutas e amêndoas. As fábricas compram, produzem suco, torram as castanhas e exportam. Os navios partem carregados de mercadorias, navios gigantes; nem parecem com as jangadas de vela dos pescadores, boiando nos verdes mares. Centenas de milhares de embalagens arrumadas nos porões dos navios escapam ao imaginário do menino que assa castanhas numa lata furada, se mela de carvão, machuca os dedos, extrai a amêndoa e come satisfeito.

— Você está me levando para onde?

O rio Jaguaribe transborda por cima de uma represa. Lá embaixo do paredão as pessoas tomam banho. No restaurante servem o peixe. E Ismael? Não consigo compor o retrato do primo. Retiro do bolso o papel escrito por Davi e leio um trecho ao acaso.

Desde que o nosso avô trouxe Ismael para a Galileia, disputamos o mesmo território. Lancei-me contra ele da forma mais radical, mais violenta, à maneira dos cruzados, num acesso de fúria que seria capaz de exterminá-lo. Esses ataques se davam após sucessivas reflexões e aliciamento de cúmplices dentro da família. Agia como se num tribunal fossem apresentadas todas as provas contra o réu e, por

fim, eu pudesse decidir: ele deve morrer. Vivi numa panela de pressão, explodindo com violência, derramando sangue, o que deixou uma mágoa irreparável em Ismael. Não temos chances de nos reconciliar. Se isso faz parte de seu projeto, esqueça. O pior de tudo é que o meu ataque deveria parecer um ataque santo, poderoso e imbatível. Eu era capaz de investir contra ele com a posse das boas razões, do bem, da luz e da necessidade de justiça. Foi uma armadilha, em que também caí. Hoje, temo por ele. No fundo o considero um pobre-diabo. Eu o amo.

 A carta me provoca novo enjoo. Amasso o papel e jogo longe. Uma chuva e as palavras virulentas retornarão ao pó de onde vieram. O dia luminoso afugenta os ódios da família. Estive doente e agora convalesço. Não quero pensar besteiras. Que Natan e Ismael se matem e se devorem num ritual antropofágico. A melhor maneira de vingar-se do inimigo é comê-lo, diz a ética do canibalismo. A tribo kanela contra a tribo jucá. Quantas tribos se dizimaram nas terras da Galileia, desde que o mundo é mundo? Irmãos se enfrentam por qualquer motivo, até pelo capricho de exercitar o corpo. Morram todos, e me deixem saborear peixe assado na brasa.
 Uma televisão aporrinha meus nervos. Todo boteco possui uma, ligada no mais alto volume. O sotaque brasileiro que se impôs ao restante do país entra pelos ouvidos, contamina o jeito das pessoas falarem, a música de cada região. A nova língua geral do Brasil é esse arremedo de fala que todos copiam. Não há rapaz ou mocinha que não tente falar igual aos artistas da TV, envergonhados por serem diferentes.
 Vou pedir que desliguem a televisão, mas reparo num menino vidrado na tela. Ele correu ao nosso encontro, quando chegamos. Pediu dinheiro para vigiar o carro, e agora está aí, alheio aos possíveis ladrões. A camioneta cinza-prata em que viajamos brilha feito uma nave espacial. O menino já viu

outras iguais, nos filmes a que assiste. Por ali também passam muitos carros, levantando poeira. Com o que sonha o menino? Certamente com o dia em que irá embora.

* * *

Em que pensa o avô, estirado no caixão sem flores, sereno como se dormisse? Em nada. Escuta as vozes das mulheres na cozinha, dos homens na sala, e ri da família. Estranha que todos pisem de leve e falem baixo, como se temessem acordá-lo. Quando nascia uma criança, também se comportavam assim. Mas agora é um velho que morre.

Não pretendo narrar os acontecimentos da noite em que velaram o corpo de Raimundo Caetano, e o primo Ismael exigiu uma prestação de contas. Tudo ainda acontecerá. Os rapazes e as moças se banhando no rio me fazem esquecer o revólver que Natan carrega na cintura. Prefiro os corpos despidos, os gritos de alegria, os respingos de água que batem em mim por acaso. Posso tomar um copo de cerveja. Antônio não bebe porque dirige. Não fosse isso deixava que se embriagasse. Assim esqueceria a pergunta que fiz: para que serve a memória dos nomes de árvores e pássaros? Ele nunca a questionou. Por que as tribos se enfrentam, as nações fazem guerra, pais e filhos se odeiam? Ismael e Natan desejam se matar. Os rapazes beijam as moças, os calções se avolumam, as águas do Jaguaribe irrigam hectares de fruteiras. Saboreio abacaxi, mergulho de cabeça nas águas e esqueço tudo. Inventei essa história. Consultem uma cartomante, se desejam conhecer o final.

Pago a conta. Deixo que Antônio resolva nosso destino. Mais cajueiros, carnaúbas e sol quente. Um caminhão carregado de cerveja virou no meio da estrada. Grades partidas, pedaços de vidro, líquido escorrendo. Quanta embriaguez desperdiçada! O motorista impede que pessoas roubem as garrafas intactas. Alguém ainda beberá do líquido amargo. Tomamos um desvio por caminhos de terra.

* * *

— Por que Russas?

— Por causa da Festa de São Gonçalo. O senhor falou que só precisa chegar ao aeroporto na hora do voo.

É verdade. Um avião espera por mim e essa certeza me enche de coragem. Onze chamadas de Joana no celular. Direi a ela que sobrevivi. Quando avisto o caminho de casa, sou outro homem. Retardo a volta, saboreio de canudinho os minutos. É miraculoso o tempo que precede o embarque. Piso um território neutro, sinto que nada de mal me acontecerá. Até posso não partir. Se fosse possível, prolongaria essa coragem.

Antônio me larga na praça, em frente à igreja. Pede-me que o libere para visitar uma namorada. Possui várias espalhadas pelo caminho.

Barracas de comida e pequenos comércios de roupa e artesanato enfeitam a rua comprida. As pessoas soltam fogos, sobem e descem na rua. Os brinquedos giram num parque de diversão.

Avisto duas lan houses. Entro numa delas, peço um computador. Meninos brincam em jogos de rede. Numa folha de papel colada na porta, a frase seca: "Proibidos sites pornográficos." Abro meu e-mail, ordenam que esvazie a caixa. Percorro as mensagens, nada importante no período em que estive fora. Se eu me ausentasse eternamente, não faria diferença. Não leio a correspondência. Prefiro observar os meninos, ouvir o que falam. Eles chegam com dois reais na mão, o preço do ingresso no mundo.

Christian ganha dinheiro transportando água numa carroça. Maycon carrega sacolas de feira no mercado. Cinco horas no sol quente e o apurado é um real e cinquenta centavos. Dêyvisson empresta os centavos que faltam. Érick, de doze anos, escreve para sua correspondente no MSN: sou um cara bonito, gostoso e sensual. Quer aventurar-se como o primo Claysson, de quinze, que fugiu de casa e foi a Salvador encontrar-se com uma namorada de trinta e seis, conhecida no Orkut. Os meninos soltam a língua, não se envergonham de revelar intimidades. Todos me pedem notas de dois reais, e prometem abrir os caminhos que percorrem na Internet. A maioria já recebeu propostas de homens e mulheres adultos. Fotografaram Jéssica, uma colega de dezesseis anos, nua em pelo. Disseram que seria modelo. A foto apareceu na rede e agora ela não tem coragem de sair de casa. Canso-me das histórias, volto à praça.

    Arrependo-me porque deixei Antônio passear. E se ele esquece o meu embarque? Já anoiteceu. Nessa hora, Esaú e Jacó limpam as feridas do avô, Ismael e Natan se desafiam. Mundo imponderável, a Galileia. As pessoas daqui são bonitas, vejo formosura em rostos, cabelos crespos e lisos, pele clara e escura. Nunca mais fecharei meu peito, nem deixarei que a ansiedade me cegue. Juro por São Gonçalo, o santo que carregam dançando, numa folia de violas e pandeiros. Passam por mim, me arrastam, sigo o cortejo. Exausto, sento na frente de uma barraca. O dono me vende carneiro assado e uma lata de cerveja. Gosto da música alta, dos cheiros, da agitação festiva.

    A igreja abriu as portas e acendeu as luzes. É um prédio descomunal para um lugar tão pequeno. Os sinos badalam, pipocam mais fogos. Não para de chegar gente por ruas e becos. Temo que não caibam na praça.

    E se Antônio não me encontrar?

    O cortejo de dançarinos dá outro giro. Um rapaz me enlaça a cintura e oferece aguardente. Bebo no gargalo da garrafa, um gole, dois, três. Ele me ensina os passos do bailado. Tento acertar a coreografia, mas não consigo. Peço a garrafa de volta e bebo. Se Ismael estivesse aqui, dançaria comigo. O cortejo para em frente à igreja. Os devotos não entram na Casa do Senhor, pois a brincadeira é profana. *Ai, lê, lê, meu santinho! Viva e reviva São Gonçalinho!*

    Uma procissão de motos roda em torno de mim. Centenas de rapazes e moças vestidos de branco cantam e bebem. Ninguém escuta as vozes dos cantores, em meio ao barulho dos escapes. O som das violas também sumiu. Apalpo o bolso e não encontro o aparelho celular. Agito-me. As motos aceleram o giro, os bailarinos aumentam o frenesi da dança. Um desconhecido me entrega o santo, tento recusá-lo, mas o homem desaparece na multidão. Sustento a imagem de gesso, enfeitada de fitas e flores de papel. Aperto-a contra o peito, pois temo deixá-la cair. Passam-me a garrafa de aguardente, e bebo mais.

As motos nunca param; aceleram, buzinam, estouram os ouvidos sensíveis. Embriago-me de álcool e barulho. Com o Santo nos braços, rodopio, arremedo passos, faço estripulias. Os meninos riem das minhas macaquices.

Apagam as luzes da praça, e a única claridade agora vem dos fogos. Acho impossível encontrar Antônio, ou ser encontrado por ele. Os sons se misturam; a dança torna-se furiosa, as pessoas se empurram, gritam, esfregam os corpos molhados de suor. O círculo de motos não me permite seguir adiante, estou ilhado. Procuro novamente o celular no bolso, mesmo sabendo que ele desapareceu. Olho o relógio da torre, iluminado pelas girândolas, mas não distingo os ponteiros.

— Vou perder o avião para o Recife — constato aterrorizado.

A embriaguez cessa de repente. Sem a chance de partir, tudo parece sombrio e feio; o coração se tranca, a boca amarga. Os dançarinos passam cantando e arrancam o Santo dos meus braços. Tento alcançá-los, mas eles desaparecem. Sinto-me sozinho. Procuro alcançar o outro lado da praça e encontro a mesma paliçada de motos. Recuo porque não consigo transpô-la. Já não sei que direção tomar. Até bem pouco tempo, o mundo em volta de mim era compreensível e amável. Agora, seu significado me foge por completo.

1ª edição [2008] 6 reimpressões

esta obra foi composta em adobe garamond pela abreu's system
e impressa em ofsete pela lis gráfica sobre papel pólen soft da
suzano s.a. para a editora schwarcz em setembro de 2023

A marca FSC® é a garantia de que a madeira utilizada na fabricação do papel deste livro provém de florestas que foram gerenciadas de maneira ambientalmente correta, socialmente justa e economicamente viável, além de outras fontes de origem controlada.